Du même auteur:

L'orgasme de la compréhension à la satisfaction
© Édimag inc. — 1989

Le point G
© Édimag inc. — 1990

Tests pour amoureux
© Édimag inc. — 1991

La jouissance féminine
© Édimag inc. — 1993

Toi, l'amour, la sexualité
© Édimag inc. — 1994

Case postale 325, Succursale Rosemont
Montréal, Qc, Canada H1X 3B8
Téléphone: (514) 522-2244
Télécopieur: (514) 522-6301
Internet: http://www.edimag.com

Éditeur: Pierre Nadeau

Dépôt légal: quatrième trimestre 1988
Bibliothèque nationale du Québec
Bibliothèque nationale du Canada

© Édimag inc., 1988
Tous droits réservés pour tous pays
ISBN: 2-921207-01-X

Édition originale: octobre 1988
Deuxième réimpression: décembre 1996

CLAIRE BOUCHARD M.A.

SEXOLOGUE

Comment devenir et rester une femme épanouie sexuellement

LES ÉDITIONS À SUCCÈS

DISTRIBUTEURS EXCLUSIFS

Pour le Canada et les États-Unis
Les Messageries **adp**
955, rue Amherst
Montréal (Québec) H2L 3K4
Téléphone: (514) 523-1182
Télécopieur: (514) 939-0406

Pour la Suisse
Transat S.A.
Route des Jeunes, 4 Ter
C.P. 1210
1 211 Genève 26
Téléphone: (41-22) 342-77-40
Télécopieur: (41-22) 343-46-46

Pour la France et la Belgique:
Dilisco Diffusion
122 rue Marcel Hartmann
94200 Ivry sur Seine
Tél.: 49-59-50-50
Télécopieur: 46-71-05-06

AVERTISSEMENT

Les exemples tirés de ce livre sont des cas réels. Cependant, les noms ainsi que les détails pouvant permettre d'identifier les personnes concernées ont été modifiés de façon à respecter la confidentialité.

Sexualité: ensemble de caractères spéciaux externes ou internes que présentent les individus et qui sont déterminés par leur sexe (Larousse, approuvé par le comité catholique de l'instruction publique).

Je me rappelle avoir lu, à l'âge de 12 ans, dans le dictionnaire Larousse la définition du mot "sexualité". Car, bien entendu, à l'époque, tout ce qu'on savait du sexe c'était "péché". On prenait donc ses informations où on pouvait. Heureusement, aujourd'hui, ça a bien changé et il était grand temps.

Ce livre est un ouvrage non seulement bien rédigé, avec sérieux et compétence, mais aussi parfois avec une pointe d'humour unique à Claire Bouchard, sexologue rencontrée dans le cadre de mon émission de télévision "Coup de Coeur". En le parcourant vous comprendrez mieux le bien-être que peut apporter l'épanouissement sexuel.

Écrit par une femme, ce livre est pour la femme. Mon souhait: qu'il soit lu par tous les hommes. Bonne lecture.

Shirley Théroux

P.S.: Bravo, Claire! J'attends le deuxième avec impatience

INTRODUCTION

Je suis sexologue. J'exerce un métier particulier qui suscite beaucoup de curiosité. Il pourrait difficilement en être autrement. Entre vous et moi, "spécialiste de la sexualité", faut le faire! Il est tout à fait légitime de se demander ce qui peut permettre à une personne de se définir comme telle et aussi ce qui peut la motiver à vouloir travailler dans ce domaine. Après tout, la sexualité c'est tellement intime et délicat!

Dans mon cas, ce choix s'est fait dans des circonstances un peu spéciales. Enfant, je ne rêvais pas de devenir sexologue! De toute façon, ce métier n'existait même pas! Non, ce qui m'attirait vraiment c'était le théâtre ou le journalisme. Je me voyais correspondante de guerre ou comédienne célèbre. À un certain moment, j'ai même commencé des études en communication au niveau collégial. Je les ai abandonnées un an plus tard. Il faut dire qu'à 17 ans j'étais un peu paresseuse et j'avais plus l'esprit à la fête qu'au travail. Par la suite, j'ai suivi des cours du soir pour terminer mon CEGEP tout en travaillant à gauche et à droite. Comme on le voit, j'étais loin et des communications et du journalisme.

Au début de la vingtaine, on était au milieu des années soixante-dix, je sentais bien que quelque chose n'allait pas dans ma vie. J'aurais voulu conquérir le monde, mais j'étais incapable de vraiment bouger. Quelque chose me bloquait. Et ce quelque chose c'était la sexualité. J'avais une peur bleue de la sexualité et le simple fait d'entendre le mot me faisait rougir jusqu'aux oreilles. J'évitais même les contacts sociaux avec les hommes de crainte d'avoir à faire face à une situation d'intimité. En plein cœur de la révolution sexuelle, je ne me sentais pas tellement à l'aise. Et en plus de ne pas être épanouie sexuellement, je me jugeais avec sévérité et j'étais sûre d'être la seule femme au monde à vivre ce type de difficulté. Bien sûr, personne n'était au courant de ce que je vivais.

C'est dans cet état d'esprit que je suis allée demander de l'aide. En entrant dans le bureau de la femme qui allait devenir ma thérapeute, j'ai senti mes mains devenir moites et mon estomac se nouer. C'était la première fois que je parlais de mon secret.

Au cours des mois suivants j'ai appris à me connaître: mon corps, mes sentiments, ma sexualité. J'ai réglé mon problème sexuel en thérapie. Ce fut pour moi une véritable libération. Débarrassée de ce fardeau, je pouvais enfin commencer à vivre...

11

sexuellement et dans tous les autres domaines. À un certain point de mon cheminement, ma thérapeute, à qui je dois beaucoup, m'a suggéré de me bâtir un plan de carrière. À mon âge, 24 ans, il était temps! Je suis donc allée voir un orienteur professionnel et ensemble nous avons constaté que je ferais sans doute une bonne thérapeute. Je me suis dirigée vers la sexologie tout simplement parce que je croyais qu'ayant vécu ce type de difficulté je serais à même de comprendre ceux et celles qui avaient des problèmes sexuels. Je ne pense pas m'être trompée. Lorsque je dis à un client que je comprends ce qu'il ressent, je sais de quoi je parle.*

Rapidement, tout en poursuivant mes études universitaires, j'ai eu la chance de devenir stagiaire du Dr Edouard Beltrami, professeur et psychiatre internationalement reconnu dans le traitement des dysfonctions sexuelles. Il m'a appris mon métier. Par la suite je suis devenue sexologue clinicienne, heureuse de mon sort. Je ne pensais plus du tout aux communications. Cette partie de ma vie était derrière moi.

Chassez le naturel il revient au galop, dit-on. J'étais loin de me douter que la sexologie me mènerait aux médias. Pourtant, c'est ce qui est arrivé. Par l'intermédiaire de courtes capsules d'information sexuelle à CKOI-FM, de chroniques à la radio (CKVL) et à la télévision (Pleximag, L'Heureux Retour, Coup de Coeur), d'articles dans des revues (Allure, Filles d'Aujourd'hui) je suis devenue une communicatrice en matière de sexualité.

Pour moi, la sexualité c'est quelque chose de concret et de joyeux qui mérite d'être bien vécu: c'est-à-dire d'une façon responsable (surtout en ces temps de MTS et de SIDA) et qui, bien sûr, s'accorde avec nos sentiments et nos valeurs. Dans mes chroniques c'est le message que j'essaie, le plus simplement possible, de transmettre. C'est aussi le message de ce livre.

En tant que femmes, nous avons droit à une sexualité épanouie. Le chemin pour y arriver n'est cependant pas toujours facile. Si ce livre peut vous apporter quelques indications sur la route à suivre il aura atteint son but.

Claire Bouchard
juillet 1988

---

* J'emploie le terme "client" de préférence à "patient" tout simplement parce que je ne considère pas que les gens qui recourent à mes services soient "malades". Ils ont une difficulté et viennent me consulter pour que je les aide à résoudre celle-ci. Ils ne viennent pas se faire soigner mais aider.

Chapitre I

Un peu d'histoire

Non, ne vous en faites pas. Je n'ai nullement l'intention de remonter aux Grecs anciens ou de vous raconter l'histoire de la sexologie des pharaons à nos jours. Cependant, je pense qu'il est important de connaître quelques-uns des jalons qui ont présidé à l'étude de la sexualité à travers les âges. Ne serait-ce que pour mieux se situer et parce qu'indirectement, mais plus que nous le croyons, nous sommes touchées par cette histoire.

Avant le début de ce siècle, on ne se posait pas beaucoup de questions sur la sexualité. À quoi cela aurait-il servi? On savait déjà tout, c'est-à-dire qu'on s'accordait à reconnaître que l'être sexuel c'était l'homme, et que la femme, enfin la femme normale et honnête, n'avait sinon aucune pulsion, du moins peu de désirs sexuels.

Pour illustrer mon propos, rappelons ce que Richard Krafft-Ebing, un neuropsychiatre allemand du début du siècle, fort respecté dans son milieu et qui s'est beaucoup intéressé aux troubles sexuels, pensait de la sexualité de la femme. Pour lui, une femme normale ne devait avoir que très peu de désirs sexuels. Cette absence de désirs était même garante des bonnes moeurs de la société puisque, dans le cas contraire, "le monde se transformerait en une immense maison de passe et le mariage et la famille deviendraient impossibles". Selon lui, il ne fasait aucun doute "qu'un homme qui évite les femmes et une femme qui cherche les hommes sont tous deux anormaux". En fait, la sexualité féminine était à ce point niée qu'il y a à peine cent ans des femmes furent internées parce qu'elles éprouvaient un plaisir jugé excessif au lit. Dire que nous revenons de loin en ce domaine peut presque porter à rire tellement c'est évident!

Sigmund Freud

Comme on le constate, il y avait peu de place à cette époque pour le questionnement, jusqu'à l'arrivée d'un certain Sigmund Freud (1856-1939). Tout le monde a entendu parler au moins une fois de ce médecin viennois. Sa théorie psychanalytique pour expliquer les comportements humains a fait le tour du monde. Il disait, en gros, que l'être humain n'était pas seulement et surtout rationnel. Selon lui, une petite partie seulement de l'esprit humain est consciente. Le reste est du domaine de l'inconscient et est en grande partie déterminé par nos pulsions sexuelles.

Il s'est aussi beaucoup intéressé à la nature de ces pulsions tant chez la fille que chez le garçon. Ses idées sur la sexualité féminine étaient empreintes des préjugés de son époque sur la femme. Il voyait la sexualité de celle-ci passive et vaginale par nature.

En revanche, il acceptait que la petite fille ait elle aussi, comme le petit garçon, des pulsions sexuelles. Pulsions qui se devaient d'être réprimées par la suite, à cause de l'absence de pénis, preuve "irréfutable" de l'infériorité féminine. Le clitoris dans tout ça? Le clitoris était vu comme un organe "masculin" et Freud parlait de l'érotisme clitoridien comme d'un érotisme infantile. La femme adulte et équilibrée se devait d'être vaginale.

À l'époque, cela fit grand bruit et Freud fut rejeté par un grand nombre de sociétés savantes. On ne lui pardonnait pas d'avoir donné une telle importance aux pulsions sexuelles et particulièrement d'avoir questionné la sexualité féminine.

Bien qu'aujourd'hui on s'accorde à dire que Freud s'est sans doute trompé sur la nature passive de notre sexualité (Freud lui-même avouait, à la fin de sa vie, ne pas être sûr du tout de la justesse de sa théorie en ce qui concerne la femme et il disait que celle-ci demeurait pour lui un "continent noir"), il a eu le mérite de s'interroger. Ce que personne n'avait vraiment fait avant lui.

Kinsey

Freud a utilisé une méthode qualitative. Il a bâti toute sa théorie à partir de l'observation de quelques cas. Il a fallu attendre les années cinquante pour qu'une recherche quantitative, à grande échelle, soit faite sur ce sujet. Le mérite en revient à un biologiste américain, Alfred Kinsey. Lui et son équipe ont interviewé plus de 10 000 personnes, hommes et femmes, sur leurs attitudes et comportements sexuels. Cette enquête eut l'effet d'une bombe! En effet, il en ressortait que beaucoup plus de gens qu'on ne le croyait jusqu'alors avaient des pratiques sexuelles jugées jusque-là anormales: entre autres, la masturbation, le coït anal, l'homosexualité. On apprenait aussi que les relations extra-maritales étaient plus fréquentes qu'on voulait bien le croire et que les femmes étaient aussi des êtres sexuels avec des attentes et des désirs non pas identiques, mais tous aussi réels que ceux des hommes.

Masters et Johnson

Puis, dans les années soixante, un médecin, William Masters, et une étudiante en psychologie, Virginia Johnson, décident de faire un pas de plus. Eux, ils ne se contenteront pas d'écouter les gens, ils voudront plutôt les observer! Ils partent du raisonnement suivant: les gens peuvent dire ce qu'ils veulent par rapport à leurs ébats amoureux, mais tant que nous ne saurons pas ce qui se passe dans le corps de l'être humain, lorsque ce dernier se livre à des activités sexuelles, nous ne pourrons pas vraiment comprendre ce qui arrive et nous serons sans outils concrets pour aider les personnes qui éprouvent des difficultés dans ce domaine.

Partant de là, ils observent en laboratoire les réactions physiologiques de plus de 700 personnes. Ils notent minutieusement tous les phénomènes qui entourent l'activité sexuelle, qu'elle soit solitaire ou avec un partenaire: les variations de la pression, du rythme cardiaque, du tonus musculaire, la dilatation des pupilles, la tumescence du pénis, l'agrandissement du vagin, le processus de la lubrification vaginale, etc.

Grâce à leurs observations, ils mettent au point des techniques efficaces et rapides de traitement des difficultés sexuelles. Et ça, ce fut toute une révolution. Jusque-là, on avait très peu de moyens pour aider les gens aux prises avec ce type de problème. À la limite, on pouvait toujours suggérer une psychanalyse. Mais c'était très long (cinq, six ou sept ans), très coûteux, et si au bout de tout ce temps on comprenait bien les tenants et les aboutissants du problème, ce dernier n'était pas nécessairement réglé. Masters et Johnson, eux, offraient une thérapie efficace en une dizaine de rencontres. Imaginez la différence!

Le traitement offert par Masters et Johnson donnait effectivement des résultats très satisfaisants à court terme. Cependant, selon plusieurs, ce traitement était un peu trop mécanique, c'est-à-dire uniquement centré sur le fonctionnement sexuel sans se soucier des éléments personnels et relationnels. Avec le temps, et les apports d'autres chercheurs cliniciens, tels Piccolo, Kaplan, Barbach, le type de thérapie à la Masters et Johnson a beaucoup évolué et peut de moins en moins être défini comme purement mécanique. D'ailleurs, on peut presque dire que Masters et Johnson sont responsables de l'émergence de ce nouveau type de professionnels qu'on a appelés aux États-Unis ''sex therapists'' et ici ''sexologues''. Donc, si vous cherchez à qui la faute, c'est William et Virginia qu'il faut pointer du doigt!

Le fameux Rapport Hite

Puis en 1977, nouveau coup d'éclat! La journaliste américaine, Shere Hite, publie son fameux rapport sur la sexualité féminine. Trois mille femmes participent à la recherche de Madame Hite. Les conclusions de cette enquête sont troublantes. Les femmes seraient insatisfaites de leurs activités sexuelles avec les hommes, apprécieraient peu la pénétration, n'auraient en grande majorité aucun plaisir vaginal et, finalement, préféreraient largement la masturbation à la relation sexuelle avec partenaire. Ce fut le choc! Le Rapport Hite connut une très large diffusion dans le public (un peu comme les livres de Masters et Johnson) et suscita de vives discussions. Certains hommes ont réagi très négativement à ce que disait Shere Hite, tandis qu'à l'autre extrême, certains groupes féministes radicaux ont trouvé là un autre argument pour affirmer que vraiment hommes et femmes n'étaient pas faits pour s'entendre!

Le mérite de Shere Hite fut justement de susciter la discussion sur les rapports hommes-femmes. Cependant, sa méthode de recherche a été très contestée. Bien sûr, 3 000 femmes ont répondu à son questionnaire. Cela fait beaucoup de monde. Mais les participantes ont été rejointes soit par le biais de quelques magazines, soit par l'intermédiaire d'associations féministes. De ce fait, son échantillonnage était non représentatif de la population (bien qu'en ce domaine il soit difficile, voire impossible d'avoir un échantillonnage représentatif). De plus, l'effort demandé aux participantes était tel qu'il fallait vraiment vouloir répondre au questionnaire. Pour cela, je ne pense pas qu'on puisse vraiment se fier à ce rapport pour connaître la sexualité de la femme. Si je m'y attarde, c'est qu'à l'époque il a eu un très gros impact et que, encore aujourd'hui, il m'arrive régulièrement d'en entendre parler.

Graffenberg et son point "G"

Ladas, Perry et Whipple, ça ne vous dit sans doute pas grand-chose. Par contre, vous avez sûrement entendu parler du point "G". On doit à ces trois chercheurs américains d'avoir popularisé ce point de jouissance. Je dis bien popularisé, car ils ne sont pas à l'origine de sa découverte. En fait, c'est un gynécologue allemand, Graffenberg, d'où le nom de point "G" (eh non! ça ne vient pas de Ginette Gingras), qui l'a isolé le premier durant les années cinquante. Il ne s'agit donc pas de quelque chose de nouveau. Mais à cette époque, à peu près personne n'avait pris Graffenberg au sérieux.

Au début des années quatre-vingt, Ladas, Perry et Whipple reprennent l'expérience de Graffenberg. Ils examinent près de 600 femmes. Elles sont toutes pourvues d'un point "G". De plus, ils s'aperçoivent que de 8 à 10% d'entre elles auraient même des éjaculations! Aussitôt publiés, ces résultats connaissent une large diffusion et créent beaucoup de controverses dans les milieux scientifiques. Certains voient en Ladas, Perry et Whipple des novateurs et pensent qu'ils ouvrent de nouvelles voies à la recherche sur la sexualité de la femme. D'autres, en revanche, mettent en doute l'existence du point "G" et nient même la possibilité que certaines femmes puissent avoir une quelconque forme d'éjaculation. La controverse entourant ces trois chercheurs n'est d'ailleurs pas encore terminée. Nous reparlerons plus en détail du point "G" dans le chapitre VII.

En résumé, on peut donc dire que:

- la recherche sur la sexualité de l'être humain est bien jeune.
- Freud fut le premier à vraiment s'interroger sur la sexualité féminine.
- Kinsey a fait la première véritable enquête à grande échelle sur les attitudes et comportements sexuels.
- Masters et Johnson, à la suite de leurs expériences en laboratoire, ont mis au point les premiers traitements sexologiques efficaces.
- Shere Hite a fait beaucoup de bruit, mais on ne peut pas vraiment se fier à ses conclusions.
- Ladas, Perry et Whipple ont fait connaître le point "G" et ont été les premiers à parler d'éjaculation féminine.

Chapitre II

Un homme,
c'est pas comme une femme

Lorsque j'ai demandé à Johanne, une jeune femme dans la trentaine, belle et intelligente, de me dire quelle était la principale différence entre l'homme et la femme, elle m'a regardée l'air un peu perplexe. À vrai dire, elle semblait se poser de très grosses questions sur ma compétence et mon sérieux. Pourtant, sérieuse, je l'étais. Et je le suis encore lorsque je réfère à cette fameuse différence entre l'homme et la femme.

Bien sûr, l'homme à un pénis, et la femme a un vagin. Mais ce n'est pas tout. Au départ, le premier signe qu'un jeune homme devient un homme, c'est qu'il a une éjaculation accompagnée d'un orgasme. Cet orgasme est un cadeau du ciel, un automatisme hormonal. Il éjacule, et l'orgasme vient simultanément. Il n'a pas à l'apprendre, à le demander, à l'espérer; c'est là. Ce qu'il vient de vivre est extrêmement agréable et sans conséquences fâcheuses. Il ne peut nier sa sexualité. Elle est là, se fait sentir, lui procure du plaisir. Même sa morphologie l'empêche de nier sa sexualité. Son sexe, il le voit, le manipule à tous les jours. Il se sait un être sexuel. En termes simples, la première éjaculation sonne, pour l'adolescent, le début du "party". Je caricature un peu, car ce n'est pas toujours aussi simple, mais sexualité et plaisir sont toujours liés pour le jeune garçon.

Ce n'est pas tout à fait la même chose pour la jeune fille. Le premier signe qui lui indique qu'elle devient une femme, qu'elle se dirige vers la maturité sexuelle, c'est la menstruation. Et, entre vous et moi, il s'agit d'un phénomène qui n'est pas précisément accompagné d'un orgasme! Bien que, dans certains milieux, on fasse maintenant une petite fête autour de cet événement, on ne peut nier certaines réalités. Et ces réalités ne sont pas toutes très réjouissantes. Douleurs, inquiétude, avertissements sont souvent le lot de la jeune fille qui a ses premières menstruations.

Cette première étape vers la maturité sexuelle féminine est loin de s'apparenter au "party" du garçon. Si, pour lui, sexualité et plaisir sont associés, il n'en est pas de même pour la fille.

Ceci simplement parce que le développement sexuel du garçon et de la fille n'est pas lié au même processus*.

Côté garçon: automatisme hormonal et cadeau du ciel

L'organisme du garçon, à partir de treize, quatorze ans, commence à produire des androgènes. Les androgènes sont les hormones responsables de son développement physique et de sa pulsion sexuelle. Et à l'adolescence, laissez-moi vous dire que ces hormones poussent fort! C'est-à-dire que le niveau des androgènes étant élevé, le désir sexuel aussi sera élevé.

Il n'a pas à se conditionner pour penser "sexe"; ses hormones lui insufflent ces pensées sans qu'il n'ait rien à y faire.

Ce qui ne veut pas dire que les adolescents soient de véritables obsédés sexuels, incapables de résister à leurs pulsions libidineuses! Aller dans ce sens nous amènerait à excuser des comportements et des attitudes qu'on ne peut ni justifier ni tolérer. Et ce n'est pas le but de cet ouvrage. Cependant, pour bien nous comprendre en tant que femme et bien saisir quelles difficultés nous pouvons vivre dans nos relations avec les hommes, il est essentiel de savoir comment l'un et l'autre fonctionnent et d'où nous partons.

Revenons donc à l'adolescent. Ses pulsions sexuelles, il peut et il doit être capable de les contrôler. Mais il ne peut s'empêcher d'avoir des préoccupations d'ordre sexuel. Ceci est un fait à la fois naturel et culturel. Par nature, j'entends la montée des androgènes, et par culture, le fait qu'il soit accepté et même bien vu pour un homme d'être un don Juan, un tombeur de femmes. Bien sûr, un adolescent, ce n'est pas encore un homme. Mais la plupart pensent qu'ils le sont déjà. Ils sont d'ailleurs souvent encouragés par leurs amis, et même par leurs parents, à adopter des attitudes et des comportements de gars expérimentés qui en savent long sur le sexe. Où prennent-ils leur vaste savoir? Ceci est une autre histoire que nous n'aborderons pas ici. Toujours est-il que dans son développement, tant affectif que physique,

---

* Certains enfants, garçons et filles, ont des orgasmes dès la première enfance. On voit d'ailleurs souvent des petits garçons de 3-4 ans jouer avec leur pénis à longueur de journée, ou des petites filles du même âge se frotter contre leurs oursons de manière non équivoque. Cependant, à partir de 5-6 ans, l'enfant entrant en période de latence, il a beaucoup moins de préoccupations d'ordre sexuel et conservera souvent peu de souvenirs de ces premiers émois (à moins bien sûr, d'être victime d'abus sexuel, mais cela c'est une autre histoire).

la sexualité a, chez le garçon, une importance indéniable et une connotation généralement positive.

Côté fille: l'apprentissage nécessaire

Chez la fille, le processus est tout à fait différent. Comme le garçon, la fille sécrète des androgènes. Mais alors que le niveau d'androgènes chez l'homme est de 300 à 1000 nanogrammes, chez la femme il n'est que de 60 à 80 nanogrammes. Comme les androgènes sont responsables du niveau de la pulsion sexuelle, on pourrait être tenté de conclure, un peu hâtivement, que la femme a moins de besoins sexuels que l'homme. Ce qui n'est heureusement pas le cas. Mais chez la femme, la sexualité est liée à l'apprentissage, c'est-à-dire que le désir et le plaisir sexuels ne lui sont pas donnés gratuitement. Bien sûr, elle sent et voit qu'elle se transforme physiquement et peut vivre de fortes attirances vers tel ou tel garçon particulièrement attirant et populaire.

Cependant, chez la fille, la sexualité a rarement le côté positif et valorisant qu'on retrouve chez le garçon. J'ai déjà parlé de menstruations et souligné que ce phénomène ne pouvait guère s'apparenter au "party" que produit la première éjaculation chez le garçon. L'orgasme, pour la fille, n'est pas un automatisme hormonal. C'est plutôt un réflexe acquis qu'elle doit apprendre. Un réflexe est une réaction automatique et involontaire. Dans ce cas, la cause de la réaction est le plaisir accumulé. Lorsqu'on parle de réflexe "acquis" cela veut dire que ça s'apprend. Car il est très rare qu'une jeune fille ou une femme ait son premier orgasme lors de ses premières activités sexuelles. Cela vient avec le temps et les expériences (nous reviendrons là-dessus au chapitre VI). Chez l'homme aussi l'orgasme est réflexe, c'est-à-dire consécutif au plaisir accumulé, mais il n'est pas acquis. Si on voulait illustrer la différence entre l'homme et la femme à ce niveau, on pourrait dire que l'orgasme masculin est un peu comme un invité qui arrive pratiquement à chaque fois qu'on l'y incite un peu, alors que l'orgasme féminin est comme un invité caché derrière une porte fermée à clé. Pour que cet invité se décide à venir nous voir, il faut d'abord trouver la clé, débarrer la porte, ouvrir celle-ci, qui peut quelquefois grincer par manque d'huile dans les pentures. Là, l'orgasme peut se pointer le nez. Cependant, il arrive souvent qu'au départ il se fasse tirer l'oreille ou qu'il soit très timide. De plus, contrairement à l'orgasme masculin, l'orgasme féminin n'est pas toujours au rendez-vous.

Le rapport qu'a la jeune fille avec ses organes génitaux comparé à celui qu'entretient le garçon avec les siens, constitue une autre différence de taille dans leur développement psychosexuel respectif. Pour le garçon, son pénis est un objet familier qu'il manipule tous les jours et dont il connaît les réactions. Pour la fille, on ne peut pas vraiment parler "d'objet familier". De par leur position intérieure, les organes génitaux féminins sont difficilement accessibles. Pour voir et toucher sa vulve et son vagin, une femme doit vraiment le vouloir. Elle doit d'abord s'installer confortablement, écarter ses petites lèvres et se servir d'un miroir et d'une lumière pour bien examiner ses organes génitaux. Et même là, il est loin d'être assuré qu'on voit tout. Ainsi, à moins d'utiliser un spéculum transparent (ce qui complique encore la procédure), une femme ne peut voir l'intérieur de son vagin. Celui-ci demeure mystérieux pour la plupart d'entre nous[1], sans compter que, culturellement, le vagin a toujours été dévalorisé. Qui de nous n'a jamais entendu les termes disgracieux de "trou", "con", "fente", "poubelle", "noune", pour désigner nos organes génitaux? Bien sûr, on parle aussi de "bite", "queue", "zizi", "quéquette", mais, en général, les mots et expressions qui désignent le sexe masculin ont une connotation plus valorisante et positive.

Donc, en résumé, d'un côté on a: automatisme et plaisir sans conséquences, de l'autre: apprentissage, inquiétude et quelquefois douleur.

L'être sexuel: l'homme?

De là à dire que l'être sexuel c'est l'homme et que la femme n'a aucune véritable pulsion sexuelle, il y a un pas que nous ne franchirons pas. Car si l'homme part, du moins en apparence, avantagé au départ, cet avantage peut se transformer à la longue en un désavantage. En effet, la pulsion de l'homme est fortement redevable du niveau de ses androgènes. Ce niveau atteint son maximum vers l'âge de vingt ans. À partir de ce moment, lentement mais inexorablement, son niveau d'androgènes diminuera. Cette diminution cessera vers la soixantaine et la quantité d'androgènes restera stable jusqu'à la mort. Ceci implique que la pulsion et les capacités sexuelles subiront elles aussi cette courbe décroissante. En d'autres termes, l'homme de cinquante ans sera moins "prime" que celui de vingt ans. Ce qui ne veut pas dire qu'il aura une vie sexuelle de moins en moins satisfaisante avec les années, ni qu'il prendra sa retraite du sexe. Ce peut même

---

[1] Certains médecins, lorsqu'ils font subir un examen gynécologique à une patiente, prennent la peine de lui montrer l'intérieur de son vagin. Cette pratique est en général fort appréciée par les patientes et contribue à briser le mythe du "trou noir". En effet, l'orifice vaginal est d'une belle couleur rosée.

être le contraire, car si l'homme jeune peut faire l'amour plus souvent, cela n'implique pas nécessairement qu'il vive beaucoup de satisfaction dans sa sexualité. Souvent même, comme il a peu d'expérience, il ne se sent pas très sûr de lui et a peur d'être malhabile et d'être un peu ou beaucoup trop vite en affaire. Seuls le temps et l'expérience lui donneront l'assurance et l'adresse qui lui manquent. Mais il n'aura pas le choix. Il devra apprendre à s'adapter à une sexualité où la qualité devra faire place à la quantité. S'il ne le fait pas, il aura toutes les chances au monde de devenir très insatisfait de sa vie sexuelle.

Après tout, ce qu'on apprend, personne ne peut nous l'enlever

Nous les femmes, n'avons pas à faire face à un tel dilemme. Car si notre sexualité naît et croît sous le signe de l'apprentissage et que les hormones ont bien peu à faire dans notre pulsion sexuelle, ce que nous avons appris et continuons d'apprendre, nul ne peut nous l'enlever. C'est notre propriété! Et si, pour la plupart d'entre nous, au début de notre vie sexuelle active nous n'avons peut-être pas une très forte pulsion sexuelle et un énorme plaisir en faisant l'amour, il n'en va pas nécessairement de même à mesure que nous vieillissons. Nos expériences nous forment. Au fil des années, nous apprenons nos besoins et découvrons notre corps. Nous nous connaissons de mieux en mieux. Nous savons de plus en plus ce qui nous fait jouir et comment faire pour obtenir ces plaisirs. Ce nécessaire apprentissage et le fait que nous n'avons pas de limitations physiologiques nous donnent un avantage certain par rapport aux hommes. Ainsi, tout au long de notre vie, nous avons toutes la possibilité de connaître un essor dans notre vie sexuelle, tant du point de vue quantitatif que qualitatif. En d'autres termes, pour nous, *the sky is the limit*. Par contre, notre mode de fonctionnement comporte des risques. Notre sexualité aura toutes les chances de devenir de plus en plus satisfaisante si notre apprentissage se fait de manière harmonieuse. Mais si tel n'est pas le cas, il est bien évident que nous retirerons peu de satisfaction de notre sexualité et que celle-ci sera davantage perçue comme un mal nécessaire que comme un cadeau du ciel.

"Oui, mais moi dans tout ça?"

Au fur et à mesure que je donnais ces explications à Johanne, ma cliente sceptique du début de ce chapitre, je la sentais se détendre. Après tout, ce que je disais était plutôt sensé. Mais elle se demandait quel rapport il pouvait bien y avoir entre ce que je venais de lui dire et son problème à elle. Elle venait me consulter pour une incapacité à atteindre l'orgasme. Elle saisissait très bien, à la suite de mes explications, qu'il y avait eu quelque chose qui avait cloché dans son apprentissage. Mais quelle utilité y avait-il pour elle, et pour la résolution de sa difficulté, de connaître le processus du développement sexuel de l'homme? Voici ce que je lui ai expliqué.

Bien sûr, c'est elle qui n'arrive pas à avoir d'orgasme. Mais notre sexualité, nous ne la vivons pas que seule. Et pour celles d'entre nous qui sont hétérosexuelles (c'est-à-dire la grande majorité, puisqu'il n'y a que cinq pour cent des femmes qui sont lesbiennes), la sexualité, c'est quelque chose que nous partageons avec un homme. Ce que l'expérience m'a démontré, c'est que nous avons trop souvent tendance à nous comparer à l'autre. Par exemple, Johanne se sentait insatisfaite de ne pas avoir d'orgasme, mais aussi anormale. Ce sentiment lui venait non seulement de la certitude qu'elle avait de n'être pas comme les autres femmes, mais aussi du fait qu'elle réalisait que, pour son compagnon, l'orgasme c'était naturel. Qu'est-ce qui pouvait bien faire que, pour lui, c'était quelque chose qui venait naturellement alors que, pour elle, il en était tout autrement? Pour l'un comme pour l'autre, la réponse était toute simple à trouver: Johanne avait quelque chose d'anormal, soit physiquement, soit psychologiquement. On ne pouvait pas en sortir.

Ceci tout simplement parce que Johanne et son compagnon appliquaient à la sexualité de la femme la logique qui régit la sexualité de l'homme. Si ça vient tout seul pour l'un, ça devrait être la même chose pour l'autre. C'est un peu comme si on décrétait que puisque l'avoine c'est bon pour les chevaux, les chats aussi devraient aimer ça. Après tout, ce sont deux animaux domestiques.

Bien sûr, une comparaison, c'est toujours boiteux. Cependant, saisir nos différences de base, c'est déjà un bon pas vers une meilleure compréhension, et, surtout, cela permet de dédramatiser bien des choses. Dans le cas de Johanne, cette nouvelle compréhension de son développement sexuel et de celui de l'homme lui a permis de voir:
- qu'elle n'était pas anormale, mais qu'elle avait plutôt eu un problème d'apprentissage;
- qu'il ne lui servait à rien de se comparer à son compagnon.

Pour un début de traitement, c'est pas mal, n'est-ce pas? Nous reparlerons de Johanne au chapitre VI.

Chapitre III

Comment ça marche?

(L'anatomie et la physiologie sexuelle)

Le thème de ce chapitre est l'anatomie et la physiologie sexuelle. Il ne sera pas vraiment question de sexualité, avec tout ce que cela peut impliquer au niveau affectif. Non, nous allons plutôt regarder la mécanique de la sexualité. Je sais, il y a des choses beaucoup plus excitantes que celles-là! Mais le fait de mieux connaître son corps et de savoir comment il fonctionne lors des relations sexuelles peut être très utile. En nous faisant mieux saisir toute la finesse de nos mécanismes sexo-physiologiques, cela peut aussi nous empêcher de paniquer lorsque quelque chose ne fonctionne pas à notre goût. C'est un peu le même principe qu'avec la conduite automobile. On n'a pas besoin d'être mécanicien pour apprécier le plaisir de conduire. Cependant, quelques notions de mécanique nous permettent d'avoir encore plus de plaisir et nous évitent de nous affoler au moindre petit claquement de valves.

Note importante: il n'est pas nécessaire de garder en mémoire toutes les notions que nous allons voir dans ce chapitre. On ne pense pas à ça quand on fait l'amour. L'important, c'est d'en avoir une idée d'ensemble.

Comment c'est fait (anatomie)

Les organes génitaux féminins étant en grande partie intérieurs, une femme peut très bien passer sa vie entière sans trop savoir comment cette partie de son corps est constituée. Par contre, si on ne sait pas, ça ne veut pas dire qu'on n'a pas sa petite idée à ce sujet. Malheureusement, celle-ci est rarement très positive.

Il faut dire que, généralement, l'éducation reçue ne nous a pas beaucoup aidées. Qui d'entre nous n'a jamais entendu dire que le sexe de la femme était un trou, qu'il était sale ou qu'il ne sentait pas bon? Ces commentaires venaient le plus souvent de la rue ou de la cour d'école. Pour la plupart d'entre nous, ce furent là nos principales sources d'éducation sexuelle. Ce sont donc ces idées que nous avons retenues et intégrées, ceci malgré l'évolution des moeurs et une plus grande information à ce sujet. D'ailleurs, allez faire un tour dans une cour d'école, vous verrez, ça n'a pas beaucoup changé.

Les hommes sont fiers de leurs organes génitaux. Peut-être certains sont-ils insatisfaits de la taille de leur pénis, mais tous sont bien contents d'en être porteurs. Encore là, l'éducation a joué. L'appendice génital masculin a toujours été valorisé positivement. Les hommes sont donc fiers de ça. Et ils ont raison, car c'est ce qui les distingue au niveau sexuel. Nous aurions tout intérêt à acquérir ce type de fierté, car vous conviendrez avec moi qu'il est difficile d'avoir une activité belle et satisfaisante avec un organe qu'on trouve laid et repoussant.

Il ne s'agit pas de procéder à la béatification du sexe féminin, mais simplement d'essayer de le regarder avec un peu moins de préjugés.

D'abord, examinons la vulve. "Vulve" est le nom qu'on donne aux organes génitaux externes de la femme. Cet ensemble est constitué du pubis, du clitoris, des grandes et des petites lèvres et de l'entrée du vagin (figure 1). La figure 2 montre les organes génitaux internes de la femme. Quant aux figures 3 à 10, ce sont simplement différents modèles de vulve. Eh oui! Les femmes ne sont pas toutes faites pareilles! Chacune est unique à ce niveau. En effet, nous acceptons toutes que chacun a deux yeux, un nez, une bouche, mais que personne n'a le même visage. Pourquoi faudrait-il que toutes les vulves soient identiques? Elles sont semblables, car constituées des mêmes éléments, mais différentes dans leur apparence. C'est important d'être consciente de cette unicité. Cela nous permet de mieux nous approprier cette partie de notre corps qui, après tout, nous appartient.

Après avoir donné ces explications, je demande souvent à mes clientes de prendre quelques minutes pour examiner leurs organes génitaux à la maison. Juste comme ça, par curiosité, et non parce que ça pique ou que ça sent drôle. En général, les femmes reviennent contentes de cet auto-examen. Elles ont l'impression de mieux se connaître, et qu'après tout ce n'est peut-être pas juste un "trou un peu dégoûtant".

Si vous voulez tenter l'expérience, vous n'avez qu'à vous installer confortablement dans votre lit. Assurez-vous de ne pas être dérangée! En position assise et à l'aide d'un miroir et d'une lampe de poche, vous regardez. Commencez par identifier chacune des parties de votre vulve (à l'aide de la figure 1). Puis, comparez vos organes génitaux aux modèles illustrés dans les figures 3 à 10. Il y en a peut-être des semblables, mais aucune n'est identique. J'en suis certaine. Puis, prenez quelques instants pour réfléchir à ce que vous venez de vivre. Ce ne sera sans doute pas l'expérience la plus excitante de votre vie, mais elle peut être agréable et enrichissante, car, comme je l'ai dit, cette partie de votre corps vous appartient. Et vous pouvez en être fière comme les hommes le sont de leur pénis. Il n'y a pas de mal à cela, au contraire!

Comment ça fonctionne (physiologie)

Maintenant, regardons le fonctionnement de tout ça. C'est ce qu'on appelle la physiologie. D'abord, nous essaierons de comprendre le rôle du système nerveux central sur notre sexualité, puis, nous verrons les quatre phases de la réponse sexuelle telles que décrites par Masters et Johnson (les mêmes qu'au chapitre premier). Cela peut sembler un peu compliqué, mais, en fait, ça l'est beaucoup moins qu'on pense. Et comme je vous l'ai déjà spécifié, inutile d'essayer de mémoriser tout ça. C'est l'idée d'ensemble qui compte.

Le système nerveux central

Les organes génitaux sont, bien sûr, très importants dans la réponse sexuelle. Mais il s'agit d'outils. Ce qui contrôle au départ notre sexualité, c'est notre cerveau et, plus précisément, notre système nerveux central. C'est lui qui nous permet de sentir, de bouger, de réagir, bref d'être en relation avec le monde.

Le système nerveux central est divisé en deux: le système nerveux de relation et le système nerveux autonome. Le premier nous permet de faire tous les gestes qui demandent une décision volontaire. Par exemple, ouvrir une porte. Notre cerveau, par l'intermédiaire du système nerveux de relation, commandera à notre main de s'avancer vers la porte, de prendre la poignée, de la tourner et de ramener la porte vers nous. Bien sûr, nous faisons tous ces gestes sans vraiment y penser (le cerveau fonctionne en millièmes de secondes), mais il s'agit d'un geste volontaire, que nous commandons.

Quant au système nerveux autonome, il est responsable de tous les mécanismes dont nous ne sommes pas conscients. Par exemple, la digestion ou les réactions involontaires que nous avons face à certaines situations de danger, comme porter la main au visage pour se protéger d'un coup. Le système autonome est lui-même divisé en deux parties: le para-sympathique et le sympathique. Le para-sympathique, c'est le système de la détente, et le sympathique, celui de réaction. La digestion sera donc sous le contrôle du para-sympathique (nous digérons mieux si nous sommes détendus), tandis que la réaction de protection face au danger imminent sera sous le contrôle du sympathique. La figure 11 montre schématiquement les différentes composantes du système nerveux central.

LA VULVE

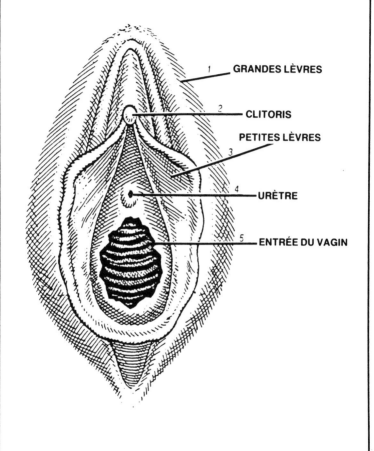

GRANDES LÈVRES

CLITORIS

PETITES LÈVRES

URÈTRE

ENTRÉE DU VAGIN

Figure 1

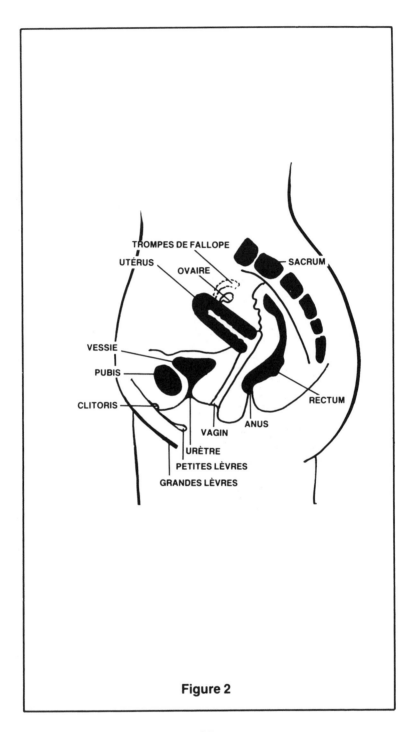

Figure 2

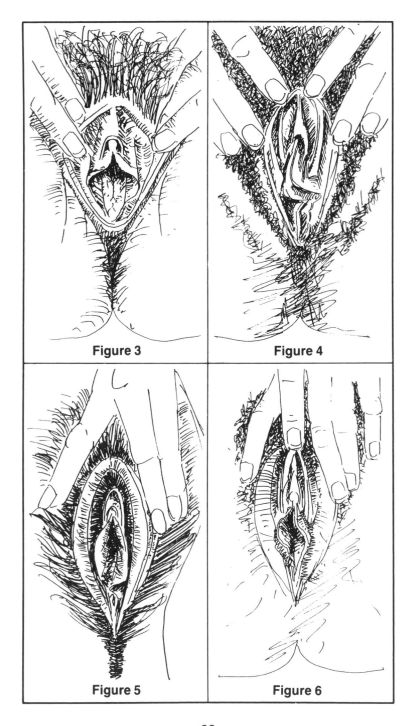

Figure 3

Figure 4

Figure 5

Figure 6

33

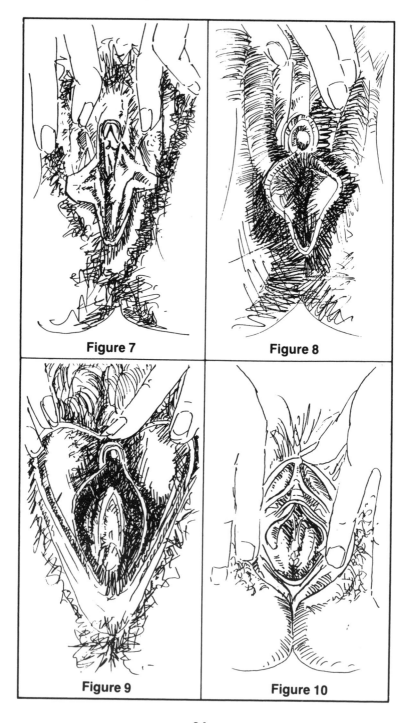

Figure 7

Figure 8

Figure 9

Figure 10

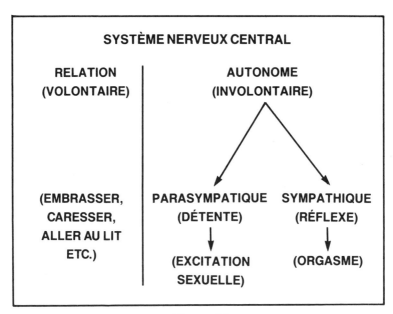

Figure 11

Et la sexualité dans tout ça? J'y arrive. La sexualité, au niveau physiologique, est principalement régie par le système nerveux autonome. Je ne veux pas dire qu'on n'a pas de contrôle sur sa sexualité. Bien sûr, c'est nous qui décidons de faire ou non l'amour, de donner certaines caresses, de déshabiller l'autre, de l'embrasser, etc. Mais pour ce qui a trait aux réactions physiologiques que ces actes et pensées peuvent engendrer, c'est une autre histoire.

Un homme ne décide pas d'être en érection et une femme ne commande pas sa lubrification vaginale. Il s'agit là de réactions involontaires, qui sont sous le contrôle du système nerveux autonome para-sympatique. Ce système étant celui de la détente, cela veut dire que l'excitation sexuelle, qui est caractérisée chez la femme par la lubrification, sera favorisée par un état de détente. Ça peut paraître paradoxal, mais pour être excitée, il faut être détendue. Si on est sur le gros nerf, aussi bien oublier ça.

Et c'est ce qui arrive d'ailleurs aux femmes qui se plaignent d'avoir des problèmes d'excitation. On retrouve toujours des éléments de tension qui les empêchent de se détendre et de s'abandonner à la rencontre sexuelle: peur que les enfants ou les voisins entendent, tension créée par des problèmes financiers ou de l'agressivité par rapport à son partenaire, certitude que la pénétration va faire mal ou qu'on n'atteindra certainement pas l'orgasme.

Et justement, parlant d'orgasme, ce dernier est déclenché par le système nerveux autonome sympathique. C'est-à-dire qu'il s'agit d'une réaction causée par une accumulation de plaisir et d'excitation. Et ça, c'est important à comprendre (surtout si vous avez acheté ce livre dans l'espoir de régler une incapacité à obtenir l'orgasme). L'orgasme, donc, est déclenché à la suite d'une accumulation d'excitation. L'excitation est sous le contrôle du para-sympathique (le système de détente). Si tout ce qui compte pour nous, c'est d'atteindre l'orgasme et qu'on passe son temps à se dire "il me semble que là, je suis proche...", c'est difficile d'être très détendue. La conséquence directe est qu'on ne peut accumuler le plaisir et l'excitation nécessaire au déclenchement de l'orgasme. On reviendra là-dessus au chapitre VI.

En résumé, notre sexualité est régie physiologiquement par le système nerveux autonome. Le système nerveux autonome para-sympathique est responsable de l'excitation sexuelle, et le système nerveux autonome sympathique l'est du déclenchement de l'orgasme.

Les quatre phases de la réponse sexuelle

Masters et Johnson, vous vous rappelez? Il a été question d'eux au premier chapitre de cet ouvrage. Ce sont eux qui ont fait des expériences en laboratoire. À la suite de ces expériences, ils ont constaté que l'être humain, lorsqu'il avait des activités sexuelles (seul ou avec partenaire), passait par quatre phases principales. Il s'agit de l'excitation, du plateau, de l'orgasme et de la résolution. L'ensemble constitué par ces quatre phases s'appelle "la courbe de la réponse sexuelle".

Hommes et femmes passent par ces quatre phases, mais de manière sensiblement différente. Nous allons regarder ensemble ces réactions physiologiques que partagent 80% des femmes.

La figure 12 illustre schématiquement les quatre phases de la réponse sexuelle. Contrairement à ce qu'on pourrait croire, il ne s'agit pas de périodes correspondant à certains comportements ou gestes. Par exemple, l'excitation ne correspond pas nécessairement aux préliminaires et le plateau à la pénétration. On peut atteindre le plateau sans pénétration et avoir l'orgasme aux préliminaires.

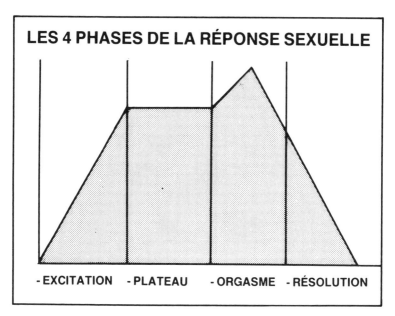

Figure 12

Il faut se rappeler que, dans ce chapitre, notre intérêt se porte sur la mécanique de la sexualité, c'est-à-dire sur la façon dont ça fonctionne à l'intérieur de nous lorsque nous avons des activités sexuelles. Donc, les différentes phases correspondent à des réactions physiologiques. Nous allons maintenant regarder chacune de ces phases séparément.

Excitation (figure 13)

Chez la femme, la lubrification vaginale est le premier signe physiologique d'excitation sexuelle. Cette réaction apparaît rapidement, bien qu'elle ait tendance à se faire plus lentement et moins abondamment chez la femme ménopausée et post-ménopausée. La lubrification est physiologiquement comparable à l'érection chez l'homme. Chez ce dernier, l'érection est causée par du sang qui va se loger dans le pénis pour le faire grossir et durcir. Chez la femme, le sang va se loger dans les parois vaginales et provoque un phénomène de sudation qui produit la lubrification vaginale. Si une femme ne lubrifie pas, physiologiquement cela veut dire qu'elle n'est pas véritablement excitée. Elle est en quelque sorte comme un homme qui n'aurait pas d'érection.

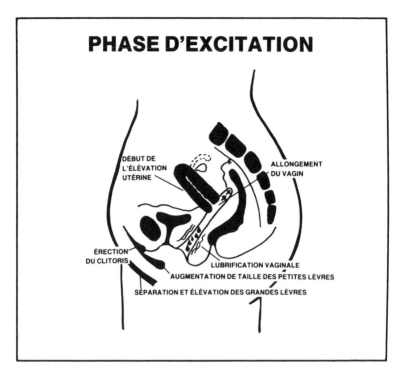

PHASE D'EXCITATION

DÉBUT DE
L'ÉLÉVATION
UTÉRINE

ALLONGEMENT
DU VAGIN

ÉRECTION
DU CLITORIS

LUBRIFICATION VAGINALE
AUGMENTATION DE TAILLE DES PETITES LÈVRES
SÉPARATION ET ÉLÉVATION DES GRANDES LÈVRES

Figure 13

Au niveau des grandes lèvres, celles-ci s'écarteront de l'orifice vaginal et s'aplatiront, dans le cas des femmes qui n'ont pas eu d'enfants. Les grandes lèvres augmenteront de diamètre pour les femmes qui ont vécu un accouchement. Les petites lèvres, quant à elles, s'aminciront et deviendront plus longues, accroissant ainsi le canal vaginal d'environ un centimètre. L'utérus, de son côté, commencera à se soulever, dégageant ainsi un espace dans le vagin (un peu comme lorsqu'on monte une tente et qu'on soulève la toile à l'aide de poteaux).

De plus, on assistera à un accroissement au niveau de la taille des seins ainsi qu'à une érection des mamelons. Apparaîtra aussi, chez 75% des femmes, un changement de couleur de la peau (vers le rosé) en partant de la poitrine jusqu'au ventre.

Enfin, il y aura une augmentation marquée de la pression sanguine, de la tension musculaire ainsi que des rythmes respiratoires et cardiaques. L'excitation n'a pas de durée déterminée. Selon les femmes et les circonstances elle pourra s'étendre de quelques secondes à plus d'une heure.

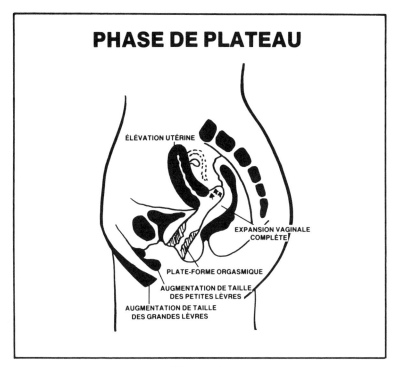

PHASE DE PLATEAU

ÉLÉVATION UTÉRINE

EXPANSION VAGINALE COMPLÈTE

PLATE-FORME ORGASMIQUE

AUGMENTATION DE TAILLE DES PETITES LÈVRES

AUGMENTATION DE TAILLE DES GRANDES LÈVRES

Figure 14

Le plateau (figure 14)

Comme on peut le voir sur la figure 12, le plateau est une phase de stabilisation. En effet, les réactions de l'organisme, tout en étant à un niveau élevé, demeurent relativement stables. Mais il se produit quand même certains changements.

L'accroissement en largeur et en longueur du canal vaginal s'accentue. L'utérus est complètement soulevé. On voit aussi apparaître, dans le premier tiers externe du vagin, deux coussinets nommés plate-forme orgasmique. On pense que cette plate-forme aurait une fonction de reproduction. Elle empêche le sperme de l'homme de sortir tout de suite après l'éjaculation et favorise ainsi la fécondation. Savez-vous que pour ce qui est censé être un "trou noir", il commence à s'y passer pas mal de choses!

Les grandes lèvres des femmes qui n'ont pas eu d'enfant se gorgent de sang. Chez celles qui ont vécu un accouchement, l'engorgement déjà présent est accentué. On assiste aussi, au niveau des petites lèvres, à un phénomène nommé "peau sexuelle". C'est-à-dire que les petites lèvres deviennent d'un rouge vif. L'orgasme de la femme est toujours précédé de cette réaction. Le clitoris, quant à lui, peut-être par gêne, qui sait, se retire en dessous de l'os du pubis et devient, à toutes fins utiles, invisible.

Le rythme respiratoire, la pression sanguine et la tension musculaire continuent de s'élever. On voit aussi apparaître à la fin de la phase de plateau, lorsque l'excitation est très grande, des mouvements involontaires du bassin.

Tout comme la phase d'excitation, la phase de plateau n'a pas de durée déterminée.

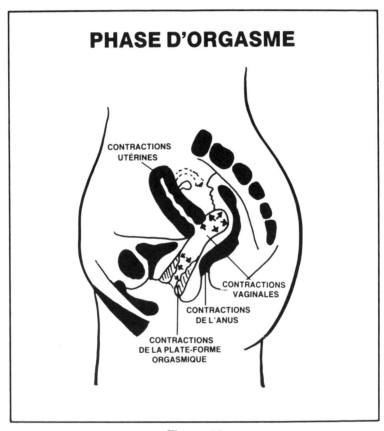

Figure 15

L'orgasme (figure 15)

Bien que très bref, — cette phase ne dure que de 10 à 20 secondes, — l'orgasme est riche en réactions physiologiques.

Chez la femme, l'orgasme est caractérisé par des contractions qui surviennent à des intervalles de huit dixièmes de seconde. Au nombre de cinq à douze, elles deviennent de plus en plus espacées et de moins en moins intenses à mesure qu'on se rapproche de la douzième contraction. Elles se produisent au niveau du vagin, de l'utérus, de l'anus et du bassin.

Les rythmes respiratoires et cardiaques, la tension musculaire et la pression sanguine atteignent alors un sommet.

La femme, contrairement à l'homme qui, après un orgasme, doit avoir une période de récupération, a la possibilité de vivre plusieurs orgasmes consécutifs. J'ai dit "possibilité" et non "obligation", il ne faut pas l'oublier. C'est important car "obligation" et orgasme font rarement bon ménage!

Résolution

La phase de résolution, c'est le retour à la normale. Celui-ci peut prendre une vingtaine de minutes et est accompagné habituellement d'une sensation de détente et de bien-être.

Je vous le répète: **il est inutile de mémoriser toutes ces données.** Et ne commencez surtout pas à vous demander, lors de vos activités sexuelles, si vous êtes rendue à la fin de la phase d'excitation ou au début du plateau! C'est le plus sûr moyen de vous embêter royalement.

Ce que j'aimerais que vous reteniez de ce chapitre ce sont les grands principes physiologiques qui régissent, pour une partie, notre sexualité.

En résumé:

1. Il se passe beaucoup de choses dans notre corps durant nos activités sexuelles. Il est donc normal que tout ne baigne pas toujours dans l'huile et qu'il y ait quelquefois des ratés.

2. Notre état de tension a une influence certaine sur notre réponse sexuelle. Pour être excitée, il faut être détendue.

3. Notre réponse sexuelle peut beaucoup varier d'une fois à l'autre, selon les circonstances et le degré d'entente avec le partenaire.

4. Les organes génitaux de chaque femme sont uniques. Ils ne sont ni sales, ni dégoûtants. Ils nous appartiennent, sont vivants et nous pouvons en être fières.

Chapitre IV

Une femme bien
ne pense pas à ça

(les fantasmes)

Les hommes, c'est bien connu, ne pensent qu'à ça. Par définition, ils sont des obsédés sexuels et le monde des fantasmes leur appartient. C'est peut-être exagéré comme position, mais ce n'est pas très éloigné de l'opinion que beaucoup d'entre nous ont sur ces messieurs. Un peu comme si, de notre côté, nous étions totalement pures, asexuées dans nos têtes, sans la moindre petite idée "cochonne". Qu'en est-il dans les faits?

Lorsque j'ai abordé cette question avec Ginette, quarante-deux ans, mariée, trois enfants, mère au foyer et manquant d'intérêt sexuel, sa première réaction, comme celle de huit femmes sur dix, a été de m'avertir qu'elle n'avait pas de fantasme. Pourtant, en creusant un peu, je me suis aperçue assez rapidement que ce n'était peut-être pas tout à fait exact comme pour la majorité des autres femmes qui me font cette remarque. Me mentait-elle? Essayait-elle de cacher des choses?

La question ne se situe pas là. Il arrive, tout simplement, que ces femmes ne savent pas qu'elles ont des fantasmes. Pour beaucoup d'entre elles, un fantasme sexuel c'est quelque chose de très gros et d'un peu effrayant. Par exemple, l'orgie à quatorze, avec le chien, le chat, où on ne sait plus trop qui fait quoi à qui et comment. Un fantasme, c'est ça, bien sûr, mais c'est aussi autre chose.

Fantasme: image mentale

Un fantasme, c'est, à la base, une image mentale, image qui peut avoir n'importe quel contenu: les dernières ou futures vacances, l'automobile dont on rêve, l'emploi idéal, le "ne pas" dont j'ai le goût, etc. Si le contenu de l'image mentale est sexuel, on parlera alors de "fantasme sexuel". Ce qui inclut l'orgie à quatorze, mais aussi le fait de se remémorer une relation sexuelle antérieure ou d'imaginer la réaction de notre voisin de table si nous nous avisions de toucher fermement une partie bien particulière de son anatomie.

Après cette explication, Ginette a pris quelques instants pour réfléchir et s'est décidée à me dire qu'elle avait des fantasmes. "Mais, ajoutait-elle, je suis sûre que ce n'est pas correct. Je ne devrais pas avoir ces idées-là."

Il faut dire qu'il y a à peine vingt-cinq ans, une femme honnête et normale était censée ne pas avoir de fantasmes. Et ce n'était pas l'avis que du commun des mortels, mais aussi celui de beaucoup d'intervenants. Il y a quinze ans, on commençait à accepter l'idée qu'une femme puisse avoir des fantasmes. Mais il fallait qu'elle soit frustrée sexuellement. Une femme comblée par son partenaire et "normale" n'en avait pas le droit, car, de toute façon, ils ne lui auraient servi à rien. Elle avait tout. Que demander de plus? Aujourd'hui, à la suite d'enquêtes et de recherches sérieuses sur le sujet, l'existence des fantasmes sexuels chez les femmes n'est plus mise en doute. Et on sait que ces fantasmes ne sont pas tous à l'eau de rose. Loin de là! Nous reviendrons là-dessus plus loin.

La mauvaise pensée

Ginette, comme la plupart de celles d'entre nous qui ont plus de trente ans, a été éduquée dans la peur de la "mauvaise pensée". Inutile de dire que celle-ci était purement d'ordre sexuel. C'était l'évidence. La mauvaise pensée, selon nos éducateurs (en passant, je ne veux pas les condamner, ils étaient en général de bonne foi et nous ont donné ce qu'ils pensaient être le mieux pour nous), pouvait nous amener tout droit à l'obsession et au déséquilibre sexuel. La sexualité avait beau être, théoriquement, la plus belle chose du monde, il ne fallait surtout pas trop y penser. L'idéal étant, bien sûr, de ne pas y penser du tout. S'ils avaient su justement que les vrais obsédés et les délinquants sexuels n'y pensent pas tant que ça... En effet, les recherches tendent à démontrer que le déviant sexuel a peu de fantasmes, que ceux-ci sont limités à sa déviance et qu'ils sont très peu élaborés. En d'autres termes, il n'a à peu près pas d'imagination. Et s'il lui arrive de se faire son petit cinéma, il ne s'agit jamais d'un long métrage et encore moins d'une oeuvre de fiction, car il est incapable d'imaginer quelque chose qu'il ne ferait pas.

Par contre, les personnes qui ont une vie sexuelle satisfaisante ont, en général, un univers fantasmatique très riche et varié. Au premier abord, ça semble surprenant. Quand on y songe un peu, ça l'est moins. Par exemple, si on s'intéresse à la mode, on y pensera beaucoup, on achètera des revues spécialisées, on consacrera beaucoup de temps au choix de choses originales. En d'autres termes, on fantasmera beaucoup sur son habillement. En général, on sera sans doute vêtue avec plus de recherche, de goût et d'harmonie qu'une autre personne qui se préoccupe peu de la mode.

On aurait pu tenir le même raisonnement pour n'importe quel champ d'activité humaine: la musique, la cuisine, le sport, le travail, etc. La sexualité humaine est le seul domaine où l'on ne tient pas, à tort, le même raisonnement. Le fantasme y a une connotation négative. Pourtant, il est tout à fait normal, lorsqu'on s'intéresse à la sexualité et qu'on veut bien vivre sa vie sexuelle, d'y penser, tout comme pour la musique, le sport, la mode, le travail.

Oui, mais à quoi ça sert?

Ginette m'écoutait avec beaucoup d'attention. Elle qui se sentait "ignorante" comme elle disait, par rapport "aux choses du sexe", semblait vivre un combat intérieur. Ce que je lui expliquais était logique et se tenait. Mais cela remettait en cause ce qu'elle avait toujours cru jusque-là. Même si ces idées étaient très culpabilisantes et n'avaient à peu près aucune assise solide, elle les avait intégrées. Elle voulait bien changer d'avis sur les fantasmes, mais elle voulait s'assurer qu'elle ne faisait pas d'erreur.

Personnellement, je trouve qu'il s'agit là d'une attitude très saine. On est ouvert à ce que l'autre nous dit, ce qui ne signifie pas qu'on est prêt à tout gober sans discernement. On doit toujours garder sa faculté de raisonner par soi-même. D'ailleurs, je remarque que ceux de mes clients qui avancent le plus vite sont souvent ceux qui demandent le plus de "pourquoi", "comment pouvez-vous expliquer ça", "quelle est la logique derrière tout ça", etc. Ils se donnent le temps et les moyens de comprendre avant de changer leur manière de voir.

Mais revenons à Ginette. À un certain moment, elle m'interrompt et me dit: "C'est bien beau tout ça, les fantasmes. Je veux bien, moi, que la plupart des femmes en aient. Mais voulez-vous me dire à quoi ça peut servir?"

La question était lâchée. Quelle peut bien être l'utilité des fantasmes?

Empêcher la marmite d'éclater

Les fantasmes sexuels ont plusieurs fonctions. D'abord, ils jouent le rôle de soupape. Toutes nous avons, et pas seulement dans le domaine sexuel, des pensées qu'on ne raconterait pas nécessairement à sa mère. Nous savons que ces pensées sont irréalisables ou, qu'à la limite, si nous les vivions, elles auraient des conséquences fâcheuses sur notre vie. Par exemple, nous avons toutes, un jour ou l'autre, engueulé en imagination notre patron. Nous sommes conscientes que, dans la réalité, nous ne pouvons nous permettre de le faire. Ce fantasme nous soulage, abaisse notre niveau de frustration et surtout nous permet, en quelque sorte, de garder notre emploi. De la même manière, au niveau sexuel, il est normal et sain d'avoir des fantasmes "soupapes". Notons que les déviants sexuels n'ont pas ce type de fantasme. Ce qu'ils imaginent, ils le font. Dans leur mentalité, imaginer quelque chose qu'on ne ferait pas est inutile.

Mettre des épices dans le quotidien

La deuxième fonction du fantasme est de mettre des épices dans le quotidien. Dans les premiers temps d'une relation, lorsque le simple fait d'entendre la voix de l'être aimé nous remplit d'émoi, lorsque c'est la passion folle, on n'a pas besoin de fantasmes. Ou plutôt, on en a constamment, sans s'en rendre compte. Avec le temps, la passion s'érode, il ne saurait en être autrement, surtout si on a décidé de vivre ensemble. Il n'y a rien de tel pour user la flamme sexuelle que quelques années de vie commune. On ne s'en rend pas compte, mais lorsqu'il y a cinq ou six ans qu'on vit ensemble et qu'on aperçoit l'être aimé, au petit déjeuner, non rasé, fumant sa cigarette, buvant son café en lisant son journal, il peut être difficile d'imaginer que cet être-là est la personne la plus érotisante qu'on ait jamais rencontrée. Les fantasmes peuvent donc servir à mettre du piquant et empêcher la routine de trop s'installer.

Nourrir le besoin

La troisième fonction du fantasme est de "nourrir le besoin". Si on veut vivre une sexualité satisfaisante, il est essentiel d'avoir une pensée sexuelle, de nourrir son besoin. Si on évite toute pensée de ce type, l'intérêt sexuel s'en ressentira. On s'attend à ce qu'un amateur de vin pense au vin. S'il ne le fait pas, son intérêt pour le vin finira par s'éteindre, faute de stimulation, de nourriture.

Faciliter le fonctionnement sexuel

Dans la vie, on ne peut faire ce qu'on est incapable d'imaginer. Ceci est un principe de base. Si je veux faire un gâteau, je dois être capable d'imaginer ce dont il aura l'air une fois fini. Si je décide d'aménager mon terrain, d'y faire une rocaille, par exemple, j'ai besoin d'un plan, même sommaire. Ce raisonnement tient aussi pour la sexualité. Par exemple, les hommes impuissants ont, en général, de la difficulté à imaginer des situations de pénétration et les femmes anorgasmiques sont incapables d'avoir un fantasme où elles ont un orgasme.

Ginette m'écoutait toujours. Elle n'était pas totalement convaincue, mais je sentais que ses résistances tombaient peu à peu. Toutefois, il lui restait encore plusieurs interrogations. Ainsi, elle se demandait si on devait vivre ses fantasmes.

Vivre ou ne pas vivre ses fantasmes

Si les fantasmes peuvent être utiles de plusieurs façons à notre vie sexuelle, cela n'implique aucunement qu'on doive en faire des réalités. Car si on ne peut faire ce qu'on est incapable d'imaginer, d'un autre côté, on n'est pas obligé de vivre tout ce qu'on est capable d'imaginer.

On pourra avoir le goût de vivre certains de ses fantasmes. Certains sont physiquement réalisables, d'autres non. Certains aussi peuvent entraîner trop de conséquences dans notre vie pour qu'on veuille les mettre à exécution. Par exemple, il est physiquement réalisable de faire l'amour au coin des rues Peel et Sainte-Catherine, un vendredi à l'heure de sortie des bureaux. Il n'est pas certain qu'on puisse y éterniser ses ébats et encore moins certain que cela n'ait aucune conséquence dans le futur! Enfin, certains fantasmes peuvent s'avérer très excitants dans notre tête, mais très décevants dans notre vie.

Le fantasme sexuel: propriété privée

Le fantasme sexuel est sans doute ce que nous avons de plus intime. On peut avoir le goût de partager un ou plusieurs de ses fantasmes sexuels avec son conjoint, cependant, il s'agit là d'un domaine qui appartient à chacun en propre. Parler de ses petites idées "olé, olé" à son partenaire, c'est lui accorder un privilège, non s'imposer une obligation. Et cela n'implique aucunement que ce dernier soit obligé de faire de même avec nous. Par contre, il peut arriver qu'on se rende compte qu'on a des fantasmes semblables ou complémentaires. S'ils sont réalisables et ne nuisent à personne, rien ne dit qu'on ne puisse vivre certains d'entre eux. Mais là encore, il est question de privilège, de plaisir et non d'obligation et de devoir.

Le péché d'intention

Jusque-là, Ginette semblait d'accord. Mais il y avait un gros "**mais**". Avoir des fantasmes, d'accord! Qu'ils puissent avoir une certaine utilité, encore d'accord. Qu'on ne soit pas obligé de les vivre, aucune objection! Qu'ils nous appartiennent en propre, cela va de soi. Mais avoir des fantasmes en faisant l'amour, n'est-ce pas tromper son conjoint?

Les fantasmes sexuels n'arrivent pas que lorsqu'on fait l'amour, mais il peut arriver qu'on en ait à ce moment-là. Certains de ces fantasmes peuvent inclure notre partenaire, d'autres pas tout à fait... Est-on infidèle à ce moment-là? On entre ici dans le concept du péché d'intention. Avoir envie de voler est-il l'équivalent de voler?

Le fantasme dans la relation sexuelle n'est nullement inquiétant et ne signifie surtout pas qu'on n'aime plus son conjoint. Car même si on fantasme sur son voisin, on est consciente que c'est avec son conjoint qu'on fait l'amour et que c'est lui qui nous donne du plaisir. Le fantasme accroît simplement ce plaisir. Évidemment, si on pense à son voisin chaque fois qu'on a une relation sexuelle, on risque peut-être, après quelques mois ou quelques années de ce manège, de goûter vraiment au fruit défendu.

Les fantasmes normaux et les autres

Arrivées à ce moment de l'entrevue, ce qui intéressait Ginette, c'était de savoir à quoi les autres pouvaient bien penser. Elle voulait aussi savoir si certains fantasmes n'étaient pas anormaux.

Cette inquiétude est courante chez les femmes. Nous avons facilement peur d'aller trop loin. En soi, tous les fantasmes sont normaux, masochistes et homosexuels inclus. Ce qui devient anormal, c'est lorsqu'on a un seul type de fantasme et que ce fantasme est déviant. Sinon, il n'y a pas de limite à ce qu'on peut imaginer (je n'ai pas dit **faire**, mais **imaginer**!).

Et qu'est-ce que les femmes imaginent? Beaucoup de choses. En tout cas, beaucoup plus qu'on serait porté à le croire au départ. Dans les pages suivantes, vous trouverez deux listes des fantasmes les plus populaires chez les femmes. Le premier tableau provient d'une recherche américaine menée en 1974 auprès de 45 femmes. Le deuxième, d'une recherche québécoise effectuée en 1981 auprès de 288 femmes.

Comme on le voit, il y a des fantasmes romantiques, mais il n'y a pas que cela. Nous sommes aussi des êtres sexuels dans notre tête. Se le cacher, le nier ne nous donne pas grand-chose. Bien sûr, il ne faut pas tomber dans l'autre extrême. Ce n'est pas une obligation d'avoir des fantasmes "super flyés" pour être normale.

Et si je veux réapprendre à avoir des fantasmes

Il arrivait souvent à Ginette d'avoir des fantasmes. Cependant, aussitôt qu'ils surgissaient, elle les bloquait automatiquement. Il ne fallait pas penser à ces choses! C'était d'ailleurs là une des causes de son problème de manque d'intérêt sexuel: comment voulez-vous vous intéresser à quelque chose auquel vous ne voulez jamais penser? Il fallait que Ginette réapprenne à se faire son petit cinéma.

Tableau 1 *

Liste des fantasmes les plus fréquents chez la femme selon Hariton et Singer (1974)

1. Être avec un amant imaginaire (56%)

2. Revivre une expérience sexuelle antérieure (52%)

3. Faire quelque chose de défendu (50%)

4. Être prise de force et obligée de céder (49%)

5. Être dans un endroit différent (47%)

6. Être l'envie de plusieurs hommes (43%)

7. Lutter et résister avant de céder et d'être excitée par des avances sexuelles (40%)

8. S'observer et observer d'autres personnes lors de leurs ébats amoureux (38%)

9. Imaginer être une femme sexuellement irrésistible (38%)

10. Avoir des activités sexuelles avec plus d'un homme à la fois (36%)

---

*Données tirées de *L'imaginaire érotique et ses secrets,* de Claude Crépault, Presses Université du Québec, Montréal, 1985.

Tableau 2 *

**Liste des fantasmes érotiques les plus populaires
chez la femme selon la recherche de
Claude Crépault (1981)**

1. Être caressée par un homme avec beaucoup d'affection et de tendresse (92%)

2. Scène romantique (88%)

3. Enlacer amoureusement un homme (87%)

4. Caresser un homme avec beaucoup d'affection et de tendresse (86%)

5. Scène d'un film érotique (86%)

6. Être caressée par un homme qui devient très excité (84%)

7. Revivre une relation sexuelle antérieure (76%)

8. Se faire embrasser les organes génitaux par un homme (74%)

9. Être avec un autre homme que le conjoint (73%)

10. Embrasser les organes génitaux d'un homme (69%)

11. Se laisser séduire par un homme (68%)

Voici ce que j'ai suggéré à Ginette:

1. Dans la première semaine, je lui ai demandé d'imaginer pendant une ou deux minutes, après chaque relaxation (Annexe I), ce que serait son travail idéal, sa maison de rêve, la famille parfaite, le voyage de sa vie, etc. Cet exercice a pour but de réactiver l'imagination. Cela peut aussi se faire lors d'une activité de détente, comme un bon bain chaud.

2. Les semaines subséquentes, elle eut, toujours après une relaxation, à imaginer les scènes suivantes:

   a) première semaine: scène où elle rencontre un homme attirant qui lui fait la cour;

   b) deuxième semaine: scène avec un homme attirant qui lui fait la cour, l'embrasse, la déshabille;

*Données tirées de *L'imaginaire érotique et ses secrets,* de Claude Crépault, Presses Université du Québec, Montréal, 1985.

c) troisième semaine: scène avec un homme attirant qui lui fait la cour, l'embrasse, la déshabille, la caresse non génitalement et génitalement

d) quatrième semaine: scène avec un homme attirant qui lui fait la cour, l'embrasse, la déshabille, la caresse non génitalement et génitalement et la pénètre.

Je lui ai donné comme directive d'imaginer ces scènes avec le plus de détails possible (son habillement, sa coiffure, la décoration des lieux, la couleur des yeux de l'homme, etc.). Elle pouvait imaginer n'importe quel homme, réel ou imaginaire, connu ou inconnu et en changer à son gré. Il pouvait même ne pas avoir de visage.

3. J'ai fait à Ginette certaines suggestions de lectures susceptibles de l'aider à meubler son univers fantasmatique. Parmi ces suggestions:

- *Mon jardin secret* de Nancy Friday, aux éditions Balland; il s'agit d'un recueil de fantasmes féminins. Certains peuvent faire dresser les cheveux sur la tête, d'autres paraître "niaiseux", mais ce livre donne une bonne idée du registre étendu des fantasmes des femmes.

- *Venus Erotica* et *Les petits oiseaux* d'Anaïs Nin en livre de poche. Il s'agit de petites nouvelles érotiques, fort bien écrites et quelquefois assez crues.

- *Les parachutes d'Icare* de Erica Jong, aux éditions l'Acropole. Ce roman raconte une histoire intéressante et l'héroïne y vit toute une série d'aventures, ma foi assez excitantes.

- *L'amant de Lady Chatterley* de D.H. Lawrence en livre de poche. Au début du siècle, ce roman avait fait scandale. Mais les temps ont bien changé...

Quand on y songe, notre vie, sans imagination, serait bien morne et ressemblerait sans doute plus à celle de robots. Quant à notre sexualité, elle serait à l'avenant, c'est-à-dire d'un ennui mortel.

Chapitre V

Seule ou avec d'autres?

(la masturbation)

Parmi tous les sujets qui se rattachent à la sexualité, la masturbation est sinon celui, du moins un de ceux qui sont les plus délicats à aborder. Tellement de tabous et de mythes entourent ce type d'activité. Surtout quand il s'agit de masturbation féminine!

Nous avons toutes, au moins cinquante fois dans notre vie, entendu dire que la masturbation rendait sourd, idiot, stérile et donnait des boutons. Ces croyances peuvent faire sourire aujourd'hui. Mais il reste toujours un fond de malaise par rapport à l'auto-érotisme. Comme si on n'était pas vraiment convaincue qu'elle ne comporte aucun risque pour notre santé morale et physique.

Cette réaction est tout à fait normale. Historiquement, la controverse entourant la masturbation ne date pas d'hier. Et il n'y a rien de tel pour donner de la vie et de la couenne à de fausses croyances que quelques siècles d'usure.

Par exemple, au XIVe siècle, on était convaincu que le sperme contenait de petits hommes ou de petites femmes tout faits. La femme n'était que le ventre où ces humains se développaient. De là à dire que la masturbation était contre nature, il n'y avait qu'un pas qui fut vite franchi. Aussi, vers la même époque, saint Albert le Grand soutenait que le sperme de l'homme contenait la matière grise du cerveau. Et voilà pour l'idiotie!

Même le corps médical s'en est mêlé. Ainsi, Tissot, médecin français du XVIIIe siècle, très écouté à son époque, disait que la masturbation engendrait, entre autres, la paralysie, l'idiotie, la mélancolie, l'impuissance et la perte de la vue. Son opinion faisant autorité, on développa des moyens pour guérir ceux et celles qui ne pouvaient s'en empêcher: chirurgie, ablation du clitoris, circoncision, castration.

Au début du XXe siècle, on change tranquillement d'avis sur la masturbation. Freud (le même qu'au premier chapitre) voit l'auto-érotisme comme nécessaire au développement de l'enfant. Cependant, il recommande fortement de la limiter car "sa prolongation rendrait la pulsion sexuelle impossible à contrôler". Chez l'adulte, il considère ces comportements symptomatiques de névrose.

Au même moment, dans la profession médicale, on hésite de plus en plus à faire un lien entre la masturbation et les désordres mentaux ou physiques.

Aujourd'hui, la masturbation est considérée dans les milieux d'intervention psychologique, sexologique et médicale, comme une activité sexuelle normale qui ne dénote en rien un trouble de quelque ordre que ce soit. S'il y a problème, c'est dans la réaction émotionnelle de la personne face à son activité.

Qui se masturbe?

À la fin des années quarante et au début des années cinquante, le Rapport Kinsey (on en a parlé au premier chapitre) indiquait que 92% des hommes et 63% des femmes interrogées disaient s'être déjà masturbés. Si on se doutait bien un peu que la majorité des hommes avaient déjà eu un tel comportement, il n'en était pas de même pour les femmes. Tout le monde à cette époque, ou presque, était convaincu que la masturbation n'était le fait que d'une minorité de femmes. Soixante-trois pour cent, ça commençait à faire une grosse minorité. En 1979, 82% des 3 000 femmes qui ont participé à la recherche de Shere Hite (nous en avons également parlé au chapitre premier) avouent se masturber.

Quel est donc le type de femmes qui se masturbe? La réponse est toute simple à trouver: madame Tout-le-Monde.

Plaisir physique, malaise psychologique

Toujours d'après le Rapport Hite, 95% des femmes qui se masturbent disent aussi obtenir l'orgasme facilement de cette manière. Donc, tout est beau dans le meilleur des mondes! Ce n'est pas tout à fait cela. Car se masturber, c'est une chose. Avoir l'orgasme, c'en est une autre. Et se sentir bien dans sa tête en le faisant est une tout autre histoire. On n'efface pas d'un trait l'éducation reçue, les mythes dont on nous a abreuvées enfants, les remontrances et les punitions.

Nous ressentons souvent une profonde ambivalence face à la masturbation. À la jouissance succède malheureusement la culpabilité. Si nous avons un partenaire, nous avons l'impression de lui voler quelque chose, d'être infidèle ou obsédée sexuelle. Comment une femme heureuse sexuellement avec son conjoint pourrait-elle avoir besoin de la masturbation?

Évidemment, si nous n'avons pas de partenaire, la situation est différente. Elle devient plus aisément justifiable. Mais en même temps, elle nous renvoie à notre solitude et à nos besoins sexuels. Un peu comme si nos pulsions n'étaient moralement et psychologiquement acceptables qu'au moment où nous sommes en amour. En dehors du contexte amoureux, nous devrions être aussi sexuelles que les anges! Donc, même si nous ne volons rien à personne, nous avons quand même l'impression de ne pas être tout à fait dans le droit chemin.

Une activité de second ordre?

Le malaise que nous ressentons face à la masturbation tient aussi dans le fait que nous la considérons un peu comme une activité de second ordre, quelque chose que l'on fait lorsqu'on n'a rien d'autre à se mettre sous la dent.

Il ne s'agit pas pour moi de dénigrer les activités sexuelles à deux. Elles sont et resteront (enfin, je l'espère, si la peur du SIDA et des MTS ne devient pas maladive) une composante privilégiée dans notre expression sexuelle. Les activités masturbatoires n'entrent pas en compétition avec les relations sexuelles. Ce sont deux choses différentes, comme les crevettes et le steak tartare. On peut adorer l'un et l'autre en étant consciente qu'il s'agit de deux mets bien différents. Et la masturbation peut répondre à des besoins auxquels la relation à deux ne peut répondre: les besoins de se donner quelque chose à soi, de se faire plaisir seule ou simplement de relâcher une tension très forte à un moment précis.

L'auto-érotisme comme apprentissage

La masturbation peut aussi être un bon moyen de mieux connaître et apprivoiser son corps. Il m'arrive d'ailleurs, dans cet esprit, de suggérer à mes clientes un exercice d'auto-exploration. Vous trouverez à la page suivante, une explication détaillée de cet exercice.

Il est important de bien comprendre qu'il s'agit, comme son nom l'indique, d'un exercice d'exploration. La femme explore son corps et apprend par différents touchers à mieux se connaître et à apprivoiser ses sensations. Cet apprentissage peut être précieux lors des activités avec partenaire. La femme se connaissant mieux, il lui sera plus facile de dire et de montrer à l'autre ce qu'elle désire.

Plusieurs clientes craignent, lorsqu'elles viennent me consulter, que je les oblige à se masturber. Personnellement, je ne me permettrais jamais de faire faire à une personne des actes qui vont à l'encontre de ses valeurs. Et comme nous l'avons vu dans les pages précédentes, beaucoup de valeurs et de sentiments contradictoires sont rattachés à la masturbation. Si je désire que ma cliente retire un bénéfice d'un exercice, il faut d'abord qu'elle comprenne pourquoi je lui fais cette suggestion et qu'elle s'y sente relativement à l'aise. Si intellectuellement et émotivement elle ne peut même pas imaginer se toucher, inutile d'insister.

Le travail du sexologue n'est pas d'imposer une autre façon de voir à ses clientes. Je ne suis pas (heureusement) un gourou qu'on écoute aveuglément! Par contre, je peux amener une cliente à s'interroger sur sa conception de la sexualité: à distinguer ce qui est vraiment en accord avec ce qu'elle est comme individu, des idées reçues et imposées, celles-là mêmes qui l'empêchent· de s'épanouir dans sa sexualité.

Exercice d'auto-exploration

Cet exercice a pour objectif de vous aider à mieux connaître les sensations de votre corps. Il s'agira pour vous d'essayer plusieurs types de touchers.

1. Après une relaxation (Annexe 1) ou une activité de détente comme un bon bain chaud, asseyez-vous confortablement dans votre lit. Vous êtes nue. Assurez-vous que la température ambiante soit agréable.

2. Commencez doucement et en lenteur à effleurer votre main gauche avec votre main droite. L'idée n'est pas de se dire: "La sexologue a dit que c'était bon, ça doit l'être." Non, il s'agit d'un exercice d'**exploration**, ne l'oubliez pas. Vous devez donc vous demander ce que cela vous fait: est-ce que ça chatouille, fait mal, comment est la texture de ma peau? Concentrez-vous sur votre sensation quelques instants.. Puis passez au bras gauche, à l'épaule gauche, au cou, à l'épaule droite, au bras droit, à la main droite. Remontez à la racine des cheveux, aux oreilles, au visage et continuez ainsi de suite jusqu'au gros orteil. N'oubliez pas le dos ni les organes génitaux. Effleurez tous les endroits de votre corps que vous pouvez atteindre.

3. Reprenez la procédure au point 2, mais cette fois-ci en essayant la caresse. Puis ensuite le palpage. Et tant qu'à faire, pourquoi

ne pas essayer le pétrissage (pour celles particulièrement qui ont de petites poignées d'amour), le grattement, le tapotement, les serpentins (mouvement imitant la reptation du serpent), le pincement léger.

N.B.: Cet exercice prend au moins trente minutes.

Interroger sa conception de la masturbation

Ce travail, il est possible de le faire soi-même. On prend une feuille et un crayon et on écrit tout ce qu'on nous a dit sur la masturbation. On n'oublie pas les idées ou phrases qui semblent loufoques ou de peu d'importance. On appelle cette feuille "idées reçues". À côté de chacun des énoncés, on note si on est "d'accord", "moyennement d'accord" ou "pas du tout d'accord" avec le contenu. Puis sur une autre feuille intitulée "sentiments", on écrit comment on se sent par rapport à la masturbation. On peut faire ces deux choses à des moments différents. On laisse reposer quelques jours.

On reprend ses deux feuilles et on les compare. Les sentiments que j'ai exprimés par rapport à la masturbation se retrouvent-ils sur la feuille "idées reçues"? S'agit-il d'énoncés avec lesquels je suis en accord ou, au contraire, complètement en désaccord? Faire cette petite comparaison permet de trouver ce qui nous appartient à ce niveau.

Par exemple, si sur la feuille "idées reçues" j'ai écrit "une femme qui se masturbe est une maniaque sexuelle et une malade — évaluation: pas d'accord" et sur la feuille "sentiments", "si je me masturbe, je me sens vicieuse et obsédée". En comparant ces deux énoncés, je constate qu'ils ont à peu près la même signification. Le "pas d'accord" m'indique qu'intellectuellement cette idée ne fait pas partie de mes valeurs, ne m'appartient pas. Par contre, émotivement, je vis encore avec le sentiment qu'une femme qui se masturbe est une maniaque sexuelle et une malade. Être consciente de ce fait n'enlèvera pas automatiquement le malaise par rapport à la masturbation, mais peut faire en sorte que les idées qui ne sont pas les nôtres cessent graduellement de contaminer notre expression sexuelle.

Et le fameux vibrateur?

Je me rappellerai sans doute toute ma vie cet échange avec Françoise, 44 ans, mariée durant quinze ans, divorcée depuis cinq ans, sans enfant et sans partenaire stable. Elle venait me consulter parce qu'elle n'avait jamais eu d'orgasme et que, pour ses 45 ans, elle voulait se donner ce cadeau. À la deuxième rencontre, elle me dit se masturber avec un vibrateur. De cette manière, elle atteint un niveau d'excitation élevé, mais à un certain moment, tout cesse. Je lui demande pourquoi elle utilise un vibrateur. Elle me répond: "Parce que ça va plus vite." Je la regarde dans les yeux et lui dis: "Êtes-vous payée au casseau?" Sur le coup, elle reste interloquée durant quelques secondes, puis est prise d'un fou rire qui a duré certainement plus de cinq minutes. Après, nous avons pu commencé à travailler sérieusement sur son problème. Elle venait de comprendre que rien ne servait de courir après l'orgasme (voir chapitre VI).

L'utilisation d'un vibrateur ne pose en soi aucun problème. Si on s'en sert à l'occasion, ce peut être un gadget amusant, une fantaisie comme une autre. On peut s'en servir comme Françoise pour aller plus vite, mais on peut aussi l'utiliser de manière plus voluptueuse et sensuelle et en profiter pour se donner un vibro-massage sur tout le corps et non seulement au niveau des organes génitaux.

Les sensations d'une pénétration avec vibrateur sont bien différentes et beaucoup plus fortes que celles qui sont ressenties lors d'une pénétration disons... plus conventionnelle, ou d'une stimulation manuelle ou buccale. C'est pourquoi une femme qui essaie d'obtenir ses premiers orgasmes par ce moyen court un certain danger de fixation à son vibrateur. C'est-à-dire qu'il peut lui être difficile de jouir d'une autre manière.

Les techniques

Se masturber est plus une question d'inspiration, de goût du moment que de technique, comme lorsqu'on fait l'amour. Certaines femmes vont utiliser un vibrateur, d'autres pas; certaines ont une prédilection pour le jet de la douche téléphone, d'autres caressent d'abord tout leur corps et ne passent aux organes génitaux qu'au dernier moment; d'autres encore touchent leur clitoris tout en insérant un doigt dans leur vagin, etc. Les façons de faire peuvent varier à l'infini. Cela peut être une longue fête érotique ou une "p'tite vite", selon son état d'esprit et ses besoins. Il n'y a pas de règle fixe.

Se masturber devant son partenaire?

Plusieurs hommes vont trouver excitant de voir leur partenaire se masturber devant eux. Certains vont exercer des pressions morales pour qu'elle le fasse: "Sois pas gênée. Je le sais que tu te masturbes. Ça me fait rien que tu le fasses, à condition que ce soit devant moi." Ce type d'activités est **votre** propriété! Et il n'appartient pas à votre partenaire de vous dicter votre conduite à ce niveau. Par contre, si cela vous fait plaisir et que vous-même trouvez très excitant de vous masturber devant lui, il n'y a aucun problème. Ce qui importe dans ce cas, c'est que vous ne le fassiez pas contre votre volonté.

Se masturber pour être normale

Se masturber ou pas, là n'est pas la question. Rien ne dit qu'on doive se masturber pour être normale. On peut être très satisfaite sexuellement et ne pas se masturber. Si on n'en ressent pas le besoin, pourquoi devrait-on y recourir? C'est une question de choix personnel. Tout ce qui importe, c'est que nous puissions faire ce choix librement. Et comme le disait fort justement Woody Allen: "Se masturber après tout, c'est faire l'amour à quelqu'un qu'on aime." Ou du moins, qu'on est censée aimer.

Quelques points à retenir

1. Il est normal de ne pas se sentir tout à fait à l'aise face à la masturbation. Des siècles de fausses croyances ont laissé leurs traces.

2. La masturbation peut servir:
   - à mieux connaître son corps et ses besoins
   - à pallier l'absence d'un partenaire
   - au besoin de se faire plaisir seule
   - au besoin de relâcher une tension sexuelle à un moment précis.

3. Il n'y a pas de technique précise de masturbation. C'est une question d'inspiration.

4. Le vibrateur peut être un gadget amusant, une fantaisie comme une autre, utilisé à l'occasion. Attention cependant au danger de fixation.

5. La masturbation est une activité intime qui nous appartient.

6. On n'a pas besoin de se masturber pour être normale.

Chapitre VI

Jouir à tout prix

(L'anorgasmie)

Vous souvenez-vous de Johanne, ma cliente du chapitre II, un peu beaucoup surprise lorsque je lui ai demandé quelle était la différence entre un homme et une femme? Nous allons reparler d'elle et de son problème.

Lorsqu'elle est venue me rencontrer pour la première fois, il y avait des mois qu'elle songeait à prendre rendez-vous. Mais elle n'osait pas. Elle se sentait gênée, avait peur de ce que je penserais d'elle et craignait par-dessus tout que je lui dise qu'elle était anormale ou malade psychologiquement. Ce type de crainte est parfaitement normal. Rares sont les personnes qui recourent à un sexologue sans hésiter. Après tout, parler de ces choses, surtout lorsqu'on doit avouer que tout ne fonctionne pas comme on le voudrait, ce n'est guère facile.

Pour Johanne, cette décision fut très difficile à prendre. Femme de carrière, tout lui avait toujours souri dans la vie: professionnellement, financièrement, affectivement, on pouvait parler de succès. Sa carrière d'avocate fonctionnait à merveille et on lui confiait des dossiers de plus en plus importants. Étant une femme organisée et prévoyante, elle avait fait quelques placements qui s'étaient révélés très profitables. Donc, du côté matériel, aucun souci particulier. Pour ce qui est de sa vie personnelle aussi, on pouvait parler de réussite. Sa vie auprès d'André, son compagnon depuis huit ans, semblait très satisfaisante: activités de couple assez régulières, vacances annuelles à l'extérieur du pays, projets communs à moyen et à long terme, bonne entente dans le quotidien. Enfin, Johanne était et est toujours d'ailleurs une très belle femme. Elle avait donc tout pour être heureuse... Sauf une petite chose, un petit rien qui commençait à prendre de plus en plus d'importance dans sa vie: elle n'avait jamais eu d'orgasme! Et à 32 ans, cela devenait de plus en plus préoccupant.

Pour elle, de deux choses l'une: ou elle avait une malformation congénitale, ou, et elle n'osait pas y penser, quelque chose en elle ne fonctionnait pas. Comme elle avait consulté plusieurs gynécologues à ce sujet et que tous lui avaient dit qu'elle était parfaitement constituée, la cause de son anorgasmie ne pouvait être que psychologique. Et pour Johanne, cela équivalait à dire qu'elle était déséquilibrée mentalement. Vous imaginez donc facilement son état d'esprit lorsqu'elle est venue me consulter.

Et là, avouait-elle, elle n'avait plus le choix. À bout de ressources dans sa quête d'un orgasme, elle s'était résolue à demander de l'aide, tout en n'étant pas vraiment convaincue que quelqu'un pourrait l'aider. Son problème était sûrement très grave et probablement insoluble.

Une vie sexuelle qui commence plutôt bien

Elle avait eu sa première relation sexuelle à l'âge de 18 ans. Elle ne peut dire que ce fut très agréable, mais ce ne fut pas non plus désastreux. La pénétration avait bien été un peu douloureuse et elle avait ressenti une vague crainte de tomber enceinte, mais elle était tellement en amour! Et il semblait tant la désirer! Elle se rappelle s'être sentie un peu déçue après coup car elle s'attendait à plus. À quoi? Elle n'aurait su le dire.

Puis le temps a passé et les amours aussi. Et plus l'expérience s'accumulait, plus elle appréciait les relations sexuelles. La pénétration ne lui faisait plus mal et elle ressentait de plus en plus de plaisir. Elle n'avait pas d'orgasme, mais cela ne la dérangeait pas. Elle se sentait satisfaite de sa sexualité.

"Toutes les autres ont joui avec moi."

À l'âge de 23 ans, elle eut une liaison courte mais tumultueuse avec un homme de quinze ans son aîné. Après quelques relations, il lui fit remarquer qu'elle ne semblait pas éprouver beaucoup de plaisir sexuel. Comme elle ne comprenait pas, il lui demanda si elle avait des orgasmes. Elle lui répondit qu'elle n'en avait pas, mais qu'elle avait beaucoup de plaisir quand même. Il rétorqua que c'était impossible, que, sans orgasme, elle ne pouvait avoir de véritable plaisir sexuel. Il ajouta que, de toute façon, elle ne devait pas être normale puisqu'elle était la première femme qui ne jouissait pas avec lui. L'incident fut clos et la liaison cessa peu après.

À partir de ce moment-là, la sexualité de Johanne ne fut plus tout à fait la même. La remarque de son ex-amant lui revenait toujours en tête. Et, peu à peu, elle se convainquait qu'elle ne devait pas avoir de véritable plaisir sexuel.

À 24 ans, elle fait la connaissance d'André. C'est le coup de foudre de part et d'autre. Craignant de le perdre, Johanne n'ose pas parler à André de son inquiétude sexuelle. Inquiétude qui ressemble de plus en plus à une obsession. Un soir, après qu'ils eurent fait l'amour, André lui demande ce qui ne va pas. Johanne ne répond pas. Il insiste. Après bien des hésitations, elle se décide à parler. Il la rassure, lui dit que ce n'est pas grave, qu'avec le temps ça va s'arranger, que c'est sans doute parce qu'elle n'a pas encore rencontré d'homme à qui elle puisse faire vraiment confiance, mais qu'avec lui ça va être différent, etc.

La course à l'orgasme

Commence alors ce qu'on pourrait appeler "la longue marche vers l'orgasme". Tranquillement mais inexorablement, les rencontres sexuelles se transforment. D'un échange de plaisir et de tendresse entre deux personnes qui s'aiment, elles deviennent des tests où l'objectif à atteindre est que Johanne obtienne l'orgasme. André, sans s'en rendre compte, se donne comme tâche de faire jouir Johanne. Pour cela, il utilise tous les trucs qu'il connaît, caresses, baisers, etc. Rien n'y fait. Johanne, de son côté, d'abord rassurée par les propos que lui a tenus André, sent de plus en plus de pression sur ses épaules. Elle veut avoir un orgasme et, à voir André agir, elle se rend bien compte que c'est très important pour lui aussi. D'ailleurs, après chaque relation sexuelle, il lui demande si elle a joui. Invariablement, elle répond par la négative. Parfois, il lui demande si elle en est certaine. Elle ne connaît peut-être pas grand-chose à la sexualité, mais s'il y a une chose dont elle est sûre, c'est bien celle-là! Si elle avait eu un orgasme, elle le saurait!

Quelquefois, elle sent qu'il y a quelque chose qui vient, particulièrement quand elle est très excitée. Elle se dit que c'est peut-être ça. Au même moment, tout arrête, plus aucune sensation. Pour elle, c'est extrêmement frustrant et pour André, très décevant.

Johanne dit avoir encore le goût de faire l'amour, mais, avec les années, ce goût diminue. Elle n'a pas vraiment de problème de lubrification, bien qu'elle ait remarqué que celle-ci soit moins abondante qu'avant. La pénétration n'est pas douloureuse et lui procure même certaines sensations agréables. Au niveau du tempérament, Johanne se décrit comme "une nerveuse par en dedans". Elle dit aussi n'avoir aucun fantasme dans lequel elle vit un orgasme. Comment pourrait-elle en avoir? Elle ne sait pas ce que c'est.

L'anorgasmie, un problème fréquent

L'anorgasmie, ou incapacité à atteindre l'orgasme, est un problème très fréquent chez les femmes. Au départ, comme nous l'avons vu au chapitre II, l'orgasme chez la femme est un réflexe acquis. Ce n'est pas un cadeau du ciel comme chez l'homme.

Il est rare d'ailleurs qu'une femme ait son premier orgasme lors de ses premières relations sexuelles. Cela vient avec le temps et l'expérience.

L'orgasme, bien qu'étant associé à des sensations extrêmement agréables, n'est pas la cause mais la conséquence du plaisir sexuel. C'est-à-dire que l'orgasme est déclenché à la suite d'une accumulation de sensations plaisantes. On n'a pas l'orgasme et après, du plaisir; on a du plaisir et après, l'orgasme. Ce qui n'empêche pas ce dernier, comme je l'ai dit, d'être extrêmement agréable.

Ça a l'air de quoi un orgasme?

Les définitions qu'en donnent les femmes varient beaucoup d'une femme à l'autre et d'un orgasme à l'autre. Voici ce que quelques femmes disent de l'orgasme (citations tirées de *Affectivité, sexualité et relations interpersonnelles*, module 3, sous la direction de Michel Rainville, Université du Québec, 1980):

"Cela commence par une période de mi-conscience qui est fantastique. Après, je perds complètement conscience du temps, du lieu pendant une fraction de seconde. Je décolle."

"C'est comme si vous étiez une calme montagne qui se met à se soulever et à bouillonner, au plus profond de vous et, brusquement, vous devenez un volcan! En mieux."

"Mon corps tout entier s'ouvre et dit merci."

"On n'est plus soi-même, on est au-dessus."

"Ce que je trouve le plus frappant, c'est que c'est à chaque fois différent."

"On explose, on éclate de l'intérieur. Tout ce qui n'est pas essentiel s'évanouit et il ne reste plus que le centre. Et alors, c'est ça qui explose."

"Je décrirais l'orgasme comme un très agréable spasme musculaire."

Ne pas avoir d'orgasme n'est pas toujours un problème

En soi, ne pas avoir d'orgasme lors d'une relation sexuelle n'est pas un problème. La femme qui a un ou des orgasmes à chaque activité sexuelle est l'exception. À la limite, ne pas avoir d'orgasmes du tout n'est pas non plus un problème. Si on se sent satisfaite de sa vie sexuelle, il n'y a rien qui dise qu'on doive absolument avoir l'orgasme pour être une "vraie femme". Johanne, d'ailleurs, a vécu cette situation durant plusieurs années. Elle pensait bien un peu à l'orgasme, se disait qu'elle aimerait bien savoir ce que c'est, mais laissait le temps faire son oeuvre. Comme depuis le début de sa vie sexuelle ses sensations ne faisaient que s'accroître, en continuant de la sorte, elle aurait bien fini un jour ou l'autre par obtenir son premier orgasme. Elle était sur la bonne voie.

Le plus sûr moyen de ne pas avoir d'orgasme: courir après

Malheureusement, l'importance qu'elle a accordée à la remarque prétentieuse d'un de ses amants (j'aurais été curieuse de savoir, dans les faits, combien de ses maîtresses avaient véritablement joui avec ce monsieur) l'a bloquée dans son apprentissage des plaisirs sexuels. À partir de ce moment, elle a cessé de vivre véritablement sa sexualité et elle a commencé à se fixer un objectif: atteindre l'orgasme.

Bien sûr, au début, elle ne s'en est pas rendu compte. Mais plus le temps passait, plus elle se jugeait, plus l'objectif devenait important. Ce faisant, elle devenait de plus en plus tendue.

Comme nous l'avons vu au chapitre III, l'excitation sexuelle est sous le contrôle du système nerveux autonome para-sympathique, c'est-à-dire le système de détente. Pour vivre de manière satisfaisante son excitation sexuelle et ressentir du plaisir, Johanne doit être détendue. Son objectif l'empêche de l'être. La diminution marquée de sa lubrification est un autre indice. Comme celle-ci est le premier signe d'excitation chez la femme, la conclusion logique est que Johanne est de moins en moins excitée lors de ses relations sexuelles.

De plus, Johanne lorsqu'elle s'aperçoit que "quelque chose s'en vient", cesse de vivre sa relation sexuelle. Elle n'est plus dans ce qu'elle ressent, mais dans ce qui pourrait arriver trente secondes plus tard. C'est un moyen efficace de se couper de tout plaisir. L'orgasme (ça aussi nous l'avons vu) est un réflexe acquis. Ce qui déclenche ce réflexe, c'est l'accumulation de plaisir: pas de plaisir, pas d'orgasme.

Quand le conjoint se mêle de la partie

Lorsqu'elle a rencontré André, celui-ci a eu la bonne attitude. En la rassurant, il faisait en sorte que Johanne se sente plus détendue et puisse s'abandonner aux relations sexuelles. Le malheur, c'est qu'il a pris la reponsabilité de la jouissance de Johanne sur ses épaules. Pour André, la situation était fort simple: Johanne n'avait pas encore rencontré un amant vraiment attentif à ses besoins. Il était donc l'homme de la situation! Comme nous l'avons vu, cela n'a pas fonctionné. Et c'était tout à fait prévisible. Johanne s'est vite aperçue du manège d'André. Comme elle l'aimait et voulait lui faire plaisir, elle a redoublé d'effort pour atteindre ce qui était devenu **leur** objectif commun. Évidemment, ce n'était pas ça qui pouvait beaucoup l'aider à rester sur son "para-sympathique".

Le plaisir, ça se prend!

Un homme ne "donne" pas d'orgasme à la femme. S'il est le type d'amant que la femme privilégie (un homme ne peut pas être un bon amant pour toutes les femmes et vice versa), il facilitera les choses, c'est certain. C'est la femme qui doit être tenue la principale responsable de son orgasme. Elle doit, comme l'homme, **prendre** son plaisir. Pour cela, elle doit goûter chaque sensation, laisser monter en elle l'excitation et se l'approprier. Et "prendre son plaisir", ce n'est pas "courir après l'orgasme". "Prendre son plaisir" implique qu'on vit chaque moment intensément; c'est quelque chose qu'on fait au présent et non pas dans un but à venir. Dans la course à l'orgasme comme dans n'importe quelle course, ce qui compte, c'est le résultat et non pas ce qu'on ressent. Et l'orgasme, c'est un peu comme le bonheur: plus on court après, plus il nous échappe. C'est ce qui arrivait à Johanne.

Quand il s'agit d'arrêter la course à l'orgasme

Lorsqu'une femme vient consulter pour anorgasmie, c'est qu'elle désire, bien sûr, atteindre l'orgasme. Mais c'est là une autre manière de courir après l'orgasme. On va voir quelqu'un et on lui dit: "J'ai essayé seule, ça n'a pas fonctionné. J'ai essayé avec mon conjoint, ça n'a pas marché non plus. Voulez-vous vous joindre à nous dans notre course?" Le thérapeute ne peut se joindre à cette équipée. C'est s'assurer d'un échec en partant. L'objectif d'un traitement pour anorgasmie ne doit donc pas être directement lié à l'atteinte de l'orgasme. On ne l'oublie pas, on arrête de courir après lui. Et on essaie une autre méthode basée sur les causes de l'incapacité à atteindre l'orgasme.

Agir sur les causes

Dans le cas de Johanne, quelles sont-elles?

1. Niveau de tension trop élevé pour pouvoir rester détendue et s'abandonner à la rencontre sexuelle (n'oubliez pas le parasympathique, il est très important).

2. Anxiété de performance de Johanne (elle doit atteindre l'orgasme à tout prix).

3. Anxiété de performance d'André (il doit lui donner un orgasme à tout prix).

4. Changement de la fonction de la sexualité dans le couple (d'un échange de plaisir, c'est devenu un test où il y a à la fin, soit l'échec, soit la réussite).

5. Absence de fantasmatisation de l'orgasme (comme nous l'avons vu au chapitre IV, on ne peut faire ce qu'on est incapable d'imaginer).

Avoir des objectifs concrètement réalisables

Ce qu'on essaiera de faire donc, c'est de mettre en place les éléments pour que

1. Johanne soit moins tendue.

2. Johanne cesse de faire de l'anxiété de performance.

3. André cesse aussi de faire de l'anxiété de performance.

4. La sexualité redevienne un jeu pour Johanne et André.

5. Johanne puisse imaginer qu'elle a un orgasme.

Pour atteindre ces objectifs, voici ce que j'ai proposé à Johanne et à André (la sexualité étant quelque chose qu'on vit à deux, dans la mesure du possible, lorsque la personne est en couple, je suggère que le partenaire soit impliqué directement dans le traitement).

1. Apprentissage d'une méthode de relaxation. Pour faire baisser la tension, c'est un des moyens les plus efficaces. (Annexe I)

2. Acquisition de connaissances sur l'anatomie et la physiolcgie sexuelle (cette acquisition sert à faire baisser le niveau de tension et à éliminer une partie de l'anxiété de performance; l'inconnu est toujours angoissant).

3. Exercices d'exploration sensorielle visant à mieux connaître son corps et à se centrer sur ses sensations (chapitre V).

4. Exercices de communication sensuelle dans le couple. Par ces exercices, ce qu'on recherche, c'est que le couple cesse de ne regarder que l'objectif et réapprenne à partager des sensations (Annexe II).

5. Remise en question de leur conception de la sexualité. Pour eux, c'était devenu un test, un examen. Pour pouvoir changer et retrouver le plaisir dans leurs relations sexuelles, il était essentiel que leur conception change.

6. Apprentissage d'une méthode de fantasmatisation (chapitre IV).

7. Suggestion d'activités de couple un peu folles (par exemple: bataille d'oreillers, jouer à avoir trois ans, jouer aux oursons, faire une partie excitante de paquet voleur, etc.). Vous savez, pour être capable de jouer au lit, il faut d'abord être capable de jouer debout. Par ces suggestions enfantines, Johanne et André ont aussi pris conscience qu'il y avait longtemps qu'ils ne s'étaient pas véritablement amusés ensemble.

Le traitement de Johanne et d'André a duré quatorze semaines. Lorsqu'ils eurent terminé, Johanne n'avait pas encore atteint l'orgasme. Cependant, leurs relations sexuelles étaient devenues beaucoup plus satisfaisantes et Johanne sentait que son plaisir devenait de plus en plus grand. André, quant à lui, avant cessé de lier sa performance et sa satisfaction sexuelle à l'orgasme de Johanne. Deux mois et demi plus tard, ils m'ont téléphoné: Johanne avait eu ses premiers orgasmes. Elle était très contente, c'est certain. Cependant, une petite phrase m'a frappée particulièrement: "Vous savez, Claire, dans le fond, l'orgasme c'est comme la cerise sur le sundae. C'est plaisant qu'il y en ait une, mais même sans ça, le sundae peut être délicieux."

Et les autres femmes anorgasmiques

Les problèmes d'anorgasmie varient beaucoup d'une femme à l'autre. Certaines peuvent avoir déjà eu l'orgasme et ne plus être capable de l'atteindre: soit, par exemple, qu'elles aient vécu un événement traumatisant, soit qu'elles aient accumulé de la frustration et de l'agressivité par rapport à leur partenaire. Il est évident à ce moment-là qu'il devient difficile de s'abandonner.

D'autres aussi peuvent l'obtenir facilement seules, mais ne pas y arriver lorsqu'elles ont des relations sexuelles avec partenaire: soit qu'il y ait de l'agressivité contre celui-ci, soit qu'on soit gênée ou que monsieur soit très mauvais amant.

Par contre, chez à peu près toutes les femmes qui ont un problème d'anorgasmie, on retrouve les caractéristiques suivantes:

1. Anxiété face à l'atteinte de l'orgasme.

2. Incapacité à se centrer sur ses sensations au moment même où elles sont ressenties.

3. Incapacité à s'abandoner à la relation sexuelle.

4. Certitude d'être anormale.

5. Absence de fantasmatisation de l'orgasme.

Être son propre sexologue

Si ce problème vous touche personnellement, voici quelques suggestions qui pourront, je crois, vous aider.

1. Relisez ce chapitre. Essayez de dégager les points que vous avez en commun avec Johanne. Dressez-en la liste.

2. Si vous avez un partenaire, évaluez votre situation de couple. Votre conjoint est-il un André? Se sent-il responsable de votre orgasme? Avez-vous de l'agressivité accumulée contre celui-ci? Le trouvez-vous bon amant? Etc.

3. À partir de ces deux évaluations, essayez, comme je l'ai fait pour Johanne et André (page 68) de faire un constat de la situation.

4. En suivant la même logique, dressez votre propre plan d'auto-traitement. Si vous êtes tendue, vous avez besoin de relaxation. Si vous ne connaissez pas votre corps, l'exercice d'auto-exploration peut vous aider, etc.

5. Si vous avez un partenaire, impliquez-le dans la démarche que vous faites. N'oubliez pas que la sexualité, ça se vit à deux!

6. N'essayez pas de tout faire en même temps. Soyez réaliste. Ne vous donnez pas plus d'une tâche nouvelle à accomplir chaque semaine.

7. Gardez toujours en tête que votre objectif n'est pas d'atteindre l'orgasme, mais d'avoir plus de plaisir et de satisfaction sexuelle. Pour vous aider à ne pas l'oublier, vous pouvez afficher la phrase suivante sur votre miroir (ou à tout autre endroit où vous êtes susceptible de la voir souvent): ''L'orgasme est un réflexe acquis: il est déclenché par l'accumulation de plaisir. **Pas de plaisir, pas d'orgasme!''**

Chapitre VII

Jouir de la bonne façon

(l'anorgasmie coïtale et les différents types d'orgasmes)

Jouir, c'est une chose. Jouir de la bonne façon, c'en est une autre. En tout cas, c'est ce que pensait Corinne lorsqu'elle est venue me rencontrer à mon bureau. Vingt-huit ans, mariée depuis cinq ans à Richard, Corinne décrivait son union comme une réussite, tant au point de vue matériel qu'affectif. La seule ombre au tableau, c'était la sexualité.

Voici comment elle expliquait son problème: "Comprenez-moi bien, j'aime faire l'amour avec Richard. Même après cinq ans de mariage, j'ai beaucoup de désir pour lui. Et quand on fait l'amour, c'est toujours "super". Sauf que je bloque quelque part. J'aime la pénétration, ça ne me fait pas mal, mais je n'ai pas d'orgasme de cette manière. La seule manière pour moi de jouir, c'est par le clitoris. Ça a toujours été comme ça. Au début, être "manuelle", ça ne m'inquiétait pas trop. Mais là, je me demande... surtout que Richard a tout essayé pour me faire jouir par la pénétration, mais là je pense qu'il commence à être pas mal "tanné". Puis moi, je suis inquiète. Est-ce que je vais toujours rester comme ça?"

Lorsque j'ai demandé à Corinne si elle retirait du plaisir et de la satisfaction de ses relations sexuelles, elle m'a répondu par l'affirmative. Elle m'a aussi dit que s'il y avait un moment où elle se sentait détendue, c'était bien après avoir fait l'amour avec Richard. Cependant, elle a remarqué que, depuis quelque temps, elle ne jouissait pas autant qu'avant, même par le clitoris. Mais ce qui la préoccupait vraiment, c'était l'orgasme par pénétration. Il devait y avoir quelque chose qui ne tournait pas rond chez elle, puisqu'elle ne jouissait pas normalement.

En résumé donc, le problème de Corinne était de ne pas avoir d'orgasme par pénétration. Mais était-ce un véritable problème? Pour de nombreuses femmes qui viennent me consulter à ce sujet, c'est évident que c'en est un des plus graves, car il contamine toute leur vie sexuelle. Mais que sait-on vraiment là-dessus?

Dis-moi comment tu jouis, je te dirai qui tu es

Pour Freud, (on y revient toujours), il existait deux types d'érotisme (il ne parlait pas d'orgasme): l'érotisme clitoridien et l'érotisme vaginal. Le premier type était, selon lui, un érotisme infantile et la femme clitoridienne ne pouvait être que névrosée.

La femme mature sexuellement et saine psychologiquement se devait d'être vaginale.

À la suite de son enquête sur les comportements sexuels des Américains, Alfred Kinsey (dont nous avons aussi parlé au chapitre premier) nie l'existence même d'un orgasme vaginal puisque 86% des femmes qui ont répondu à son questionnaire ont dit ne pas avoir de sensations vaginales. Il appuie aussi ses dires sur le fait que, pour la grande majorité des femmes, les parois du vagin sont insensibles aux brûlures et coupures. Cette insensibilité est imputable à la faible innervation du vagin. Ce que Kinsey oubliait c'est que:

- nous percevons très bien les sensations de frottement et de poussée liées à la pénétration.

- à l'époque, 75% des hommes qui ont répondu à son questionnaire disaient éjaculer en moins de deux minutes. Ce qui explique peut-être l'absence de plaisir vaginal chez un certain nombre de femmes. Elles n'en avaient tout simplement pas le temps!

Pour Masters et Johnson, nos deux pionniers de la recherche en laboratoire, c'est légèrement différent. Ils ne nient pas l'existence d'un orgasme vaginal, mais ils considèrent qu'il n'y a qu'un seul orgasme quel que soit le type de stimulations qui a pu le provoquer. Et avec leurs instruments de mesure, ils se sont aperçus que quel que puisse être le point d'origine de l'orgasme, les réactions physiologiques demeurent les mêmes.

Puis dans les années soixante-dix et quatre-vingt, des scientifiques ont cherché à répertorier les différents orgasmes. C'est ainsi qu'on en est venu à parler d'orgasme post-éjaculatoire réflexe, utérin, combiné, vulvaire, par le point "G". Ceci, bien sûr, en plus des orgasmes clitoridiens et vaginaux. Il est à remarquer cependant que ces "nouveaux" types d'orgasmes sont le plus souvent des variantes des orgasmes vaginaux et clitoridiens. Vous trouverez à la page suivante, une définition succincte de chacun de ces orgasmes.

Là où ça complique les choses

Ces recherches ont été très utiles, en ce sens que tout ce qui aide à mieux saisir les réactions sexuelles de l'être humain donne aux intervenants, médecins et sexologues, plus d'outils pour aider leurs clients. Cependant, tout ça, ça complique un peu la vie. La sexualité, est sans doute le domaine où il y a le plus de "on dit que...", "paraîtrait que..." et "est-ce vrai que...". Les sources d'informations semblent nombreuses (Ferland ne dit-il pas dans une de ses chansons qu'on vit dans un monde de sexe?), mais sont rarement de qualité. On entend parler de certaines choses, comme du fait qu'il y a plusieurs types d'orgasmes, mais où se situer par rapport à ça? Qui est la plus normale? Celle qui a l'orgasme par pénétration celle qui jouit par le clitoris, ou encore celle qui connaît bien son point "G"?

Corinne qui n'a pas d'orgasme par pénétration a un problème. Mais ce n'est pas celui qu'elle pense. Qu'un orgasme provienne du clitoris, du vagin, du point "G", de l'utérus ou du gros orteil, un orgasme est un orgasme. C'est un phénomène qui dure de dix à vingt secondes et qui provoque une grande sensation de plaisir suivie d'un relâchement des tensions. Aussi, nous avons toutes la possibilité d'avoir plusieurs orgasmes consécutifs. Ce qui ne veut pas dire que nous **devrions** avoir plusieurs orgasmes consécutifs pour être satisfaites sexuellement. D'ailleurs, le nombre d'orgasmes n'est pas nécessairement proportionnel à la satisfaction que nous retirons de nos relations sexuelles. Plusieurs autres facteurs entrent en jeu. Entre autres, l'ambiance dans laquelle se vit la rencontre sexuelle et les sentiments que nous avons par rapport à notre partenaire.

Mais pour Corinne, tout ce qui compte, c'est d'avoir un orgasme par pénétration. Tel est son objectif ultime. Et c'est à ce niveau que se situe son problème. Objectif et satisfaction sexuelle font rarement bon ménage, car pendant qu'on est préoccupé par son objectif, on peut difficilement vivre pleinement sa relation sexuelle.

Dis-moi comment tu jouis...

Orgasme post-éjaculatoire réflexe: Orgasme vaginal caractérisé par des contractions utérines arrivant quelques instants après l'éjaculation.

Orgasme utérin: Orgasme dépendant d'une pénétration profonde, ne durant qu'une ou deux minutes, et d'un contact entre le col de l'utérus et le pénis. Cet orgasme s'accompagne d'une respiration particulière, d'une tension du diaphragme et de contractions brusques du muscle crycopharingien. (muscle situé dans la région du larynx).

Orgasme vulvaire: Orgasme correspondant à l'orgasme clitoridien.

Orgasme combiné: Orgasme provoqué par une pénétration lente durant les dix à quinze premières minutes, se terminant par une ou deux minutes de pénétration profonde et plus accélérée. Cet orgasme est caractérisé par des contractions à la fois vulvaires et utérines.

Orgasme par le point "G": Orgasme vaginal provenant de la stimulation forte et continue (au moins une dizaine de minutes) du point "G". Cet orgasme est caractérisé par des contractions utérines.

Survaloriser l'orgasme vaginal

Pourquoi se fixe-t-elle cet objectif? Simplement parce qu'elle est convaincue qu'il s'agit là du meilleur orgasme possible. Sa conviction vient de la valeur qu'elle donne à l'orgasme par pénétration, mais aussi de la valeur que donne Richard, le mari de Corinne, à ce type d'orgasme. Comme si le fait de faire jouir sa compagne avec son pénis avait plus de valeur, le rendait meilleur amant que de la faire jouir avec sa main ou avec sa bouche. Pourtant, dans tous les cas, c'est lui qui la fait jouir et non pas le voisin.

Une cause physique: le P.C.

Il ne faut cependant pas généraliser. L'Incapacité à atteindre l'orgasme vaginalement peut être, dans certaines circonstances, considérée comme un véritable problème.

Ainsi chez certaines femmes, l'absence d'orgasme vaginal va être causée par un relâchement du muscle pubo-coccygien qu'on appelle aussi P.C. Ce muscle (figure 16) comme son nom l'indique, va du pubis au coccyx et permet à la femme d'uriner, d'aller à la selle et de contracter et de détendre son vagin. Celles qui ont déjà suivi des cours prénataux connaissent bien ce muscle.

C'est un muscle très important dans la réponse sexuelle de la femme car il lui permet de bien sentir le pénis lors de la pénétration. Si le muscle est lâche, la femme ne sentira pas grand-chose et l'homme aura une impression de vide en pénétrant. Il est évident, dans ces conditions, que la femme puisse difficilement obtenir un orgasme vaginal: elle n'a pas de sensations suffisantes pour ce faire.

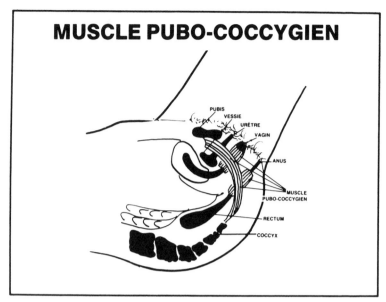

MUSCLE PUBO-COCCYGIEN

PUBIS
VESSIE
URÈTRE
VAGIN
ANUS
MUSCLE
PUBO-COCCYGIEN
RECTUM
COCCYX

Figure 16

D'autres indices peuvent nous faire soupçonner une faiblesse du muscle pubo-coccygien: perte d'urine en toussant, en riant ou en entrant dans un bain chaud. Il arrive souvent qu'une femme qui a vécu un ou plusieurs accouchements se retrouve avec un P.C. très relâché.

À l'autre extrême, un muscle trop contracté peut causer à la femme des douleurs lors de la pénétration (chapitre IX) et l'empêcher d'avoir quelque plaisir que ce soit. On peut se dire que le muscle est trop fort. En fait, ce n'est pas cela. Un muscle fort est un muscle qui peut se contracter certes, mais aussi se détendre.

Ce muscle s'attachant à des os, le pubis et le coccyx, est un muscle qu'on peut faire travailler et renforcir, comme les biceps. Certains exercices très simples (Annexe III) peuvent aider à retrouver sa bonne forme pubo-coccygienne et, par le fait même, plus de sensations vaginales.

Une question de préférence et de tempérament

Bien sûr, un orgasme par pénétration, ça peut être très agréable. Et la façon dont on le perçoit est différente de l'orgasme clitoridien. Ce dernier va être plus direct, plus violent d'une certaine manière. L'autre sera perçu plus globalement, comme si les sensations étaient plus diffuses.

Il est légitime pour une femme de vouloir, un jour ou l'autre de sa vie, expérimenter ce type d'orgasme. Cependant, il n'est pas du tout anormal de ne pas le vivre car beaucoup de femmes ne le connaissent pas. Shere Hite va jusqu'à dire que 84% des femmes n'ont pas d'orgasme vaginal. Personnellement, je trouve ce chiffre exagéré et je dirais qu'environ la moitié des femmes n'ont pas d'orgasme vaginal. De plus, un des pires moyens de l'obtenir est justement de courir après ce type d'orgasme. Car l'orgasme en général, — et l'orgasme vaginal en particulier, — a horreur qu'on court après lui, simplement parce qu'il demande beaucoup d'abandon. Et c'est très difficile de s'abandonner quand on se demande constamment si on va finir par "aboutir" et obtenir ce fameux orgasme par pénétration.

La femme, à la différence de l'homme, a plusieurs points de jouissance possibles. Elle n'est pas limitée à un type d'orgasme. Par contre, notre société moderne a tendance à tout classifier et catégoriser. Telle chose est meilleure qu'une autre parce qu'elle coûte plus cher, qu'elle est plus rare ou obtenue au prix de plusieurs transformations. Quand on y pense quelques instants, on s'aperçoit bien que nos classifications sont souvent arbitraires et ne reposent pas toujours sur des assises très solides. Il en est de même, je pense, avec les orgasmes. Nous avons décidé que l'orgasme par pénétration était le meilleur! Mais sur quoi nous basons-nous? Le seul critère valable pour juger de notre sexualité, c'est la **satisfaction**. Quelle que soit l'origine de nos jouissances, ce qui compte, dans le fond, est-ce le nom que nous y apposons ou le plaisir que nous en retirons? Poser la question, c'est presque y répondre.

Il est certain que les chercheurs étant ce qu'ils sont, ils découvriront sans doute d'autres types d'orgasmes. Et des femmes comme Corinne, qui est loin d'être un cas unique, s'inquiéteront et penseront qu'elles sont anormales parce qu'elles n'ont que "des jouissances de catégorie B".

Déjà j'ai reçu en consultation quelques femmes qui s'inquiétaient de ne pas jouir par le point "G". Il y a dix ans, ce point de jouissance était à peu près inconnu. On n'en parlait donc pas et surtout on ne s'en inquiétait pas. Jouir ou ne pas jouir à ce niveau n'avait pas d'importance. Et celles qui avaient des orgasmes qui provenaient de ce point n'avaient pas besoin d'en connaître le nom pour ressentir tout le plaisir qu'il pouvait leur procurer.

Toutes, nous avons les capacités d'avoir du plaisir sexuel, mais la manière qui nous permet d'atteindre le septième ciel diffère d'une femme à l'autre. Et c'est tout à fait normal. Certaines femmes, par leur tempérament et leurs préférences du moment, vont opter pour un plaisir plus direct, d'autres pour un plaisir plus diffus.

Un même type d'orgasme peut varier en intensité et en qualité, mais, je le répète, les seuls critères valables que nous ayons pour en juger, c'est le plaisir qu'il nous donne et la satisfaction que nous en retirons.

Le point "G" en sept questions

Il ne se passe pas une semaine sans qu'on me pose des questions sur ce fameux point. D'où ça vient? Qu'est-ce que c'est au juste? Comment ça fonctionne? Est-ce que toutes les femmes en ont un? Etc.

D'où ça vient?

Comme nous l'avons vu au chapitre I, le point "G" est une découverte d'un médecin allemand du nom de Graffenberg.

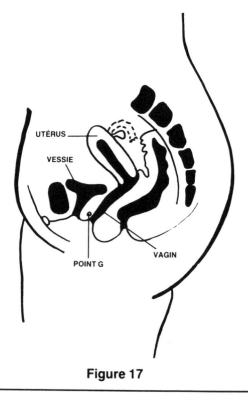

Figure 17

Qu'est-ce que c'est au juste?

Le point "G" n'est pas un organe comme l'utérus ou les trompes de Fallope, mais un point de jouissance féminine. Il est situé dans le premier tiers externe du vagin (figure 17) et si on imagine l'entrée de celui-ci comme une horloge, on le retrouvera entre onze heures et une heure (figure 18). Lorsque stimulé adéquatement, une protubérance apparaît à cet endroit du vagin. C'est ce qu'on appelle le point "G".

Comment ça fonctionne?

Pour sentir son point "G", il est nécessaire d'avoir une stimulation directe, forte et continue durant plusieurs minutes. On peut stimuler le point "G" avec un ou deux doigts. Certaines positions dans la pénétration (par exemple, la femme couchée sur le ventre, les hanches légèrement relevées, l'homme derrière elle) vont aussi favoriser la stimulation du point "G".

Comment le trouver?

Lorsqu'on stimule le point "G", au départ cela cause une envie d'uriner. Donc, s'installer confortablement sur les cabinets et commencer par uriner pour s'assurer que la vessie soit vide. Puis, insérer un ou deux doigts dans son vagin, entre onze heures et une heure, juste après l'os du pubis. Presser vers le haut de manière forte et constante. On sentira sans doute une envie d'uriner. On continue tout de même la stimulation. Après quelques minutes, l'envie d'uriner fera place à une sensation agréable. On sentira aussi une bosse se former dans le haut du vagin. C'est le point "G". Rendu à ce moment, on peut changer de pièce et continuer la stimulation, toujours assise, dans son lit.

Est-ce que toutes les femmes ont un point "G"?

Selon des expérimentations: oui. Toutes les femmes ont ce point de jouissance.

Est-ce que toutes les femmes atteignent un orgasme par le point "G"?

Non. Chez certaines, la sensation sera juste plaisante, tandis d'autres obtiendront des orgasmes plus ou moins intenses de cette manière.

Et l'éjaculation féminine?

De huit à dix pour cent des femmes, lorsqu'elles ont un orgasme, ont des émissions de liquide. Jusqu'au début des années quatre-vingt, on pensait qu'il s'agissait d'urine. Ladas, Perry et Whipple (ceux qui ont popularisé le point "G") affirment que non, et que ce liquide ressemblerait plutôt au liquide spermatique de l'homme (sans spermatozoïde, bien sûr). Ils disent que cette "éjaculation" est provoquée essentiellement par des orgasmes qui proviennent du point "G". Leur point de vue est très contesté et certaines recherches récentes tendent à contredire leurs assertions. Il est donc difficile d'affirmer quoi que ce soit présentement par rapport à l'existence ou non d'une éjaculation féminine.

LE POINT G: SA POSITION

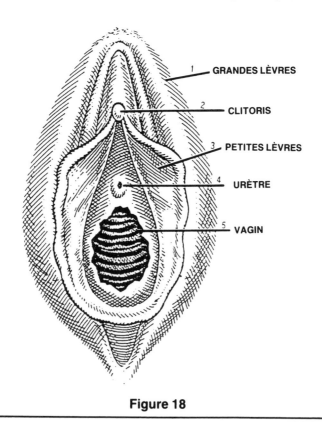

1 — GRANDES LÈVRES

2 — CLITORIS

3 — PETITES LÈVRES

4 — URÈTRE

5 — VAGIN

Figure 18

Chapitre VIII

Mon conjoint? Il pense juste à ça

(Le manque de désir)

Lui, il se sent toujours prêt, alors qu'elle, elle a l'impression d'avoir très peu de désir sexuel. Les mésententes par rapport à la fréquence des relations sexuelles sont sans doute une des causes les plus fréquentes de consultation. Il ne se passe pas une semaine sans que je reçoive une couple qui vit cette difficulté. Trois fois sur quatre "l'obsession", si je puis m'exprimer ainsi, est du côté de monsieur. Ce qui ne veut pas dire qu'il soit le seul à être insatisfait. Loin de là! Une mésentente de ce type contamine toute la relation de couple et est généralement vécue aussi difficilement d'un côté comme de l'autre.

Pourquoi surtout les femmes?

On peut se demander pourquoi ce sont surtout les femmes qui ont moins de désir dans le couple. Dire que les hommes sont de véritables obsédés sexuels et les femmes des anges de vertu simplifierait sans doute bien des choses. Malheureusement, c'est loin d'être conforme à la réalité.

Comme nous l'avons vu au chapitre II, le développement psychosexuel de l'homme et de la femme se fait fort différemment. Le désir sexuel de l'homme est en grande partie redevable au niveau de ses androgènes. Qu'il le veuille ou non, la sexualité fait partie de ses préoccupations. À cause de ses hormones, il pense "sexuel" et le désir lui vient automatiquement.

Pour nous, les femmes, c'est différent. Nous devons apprendre à découvrir notre corps, nos besoins. Au départ, nos pulsions sexuelles se font moins pressantes que chez le garçon. Cependant, au contraire de l'homme, dont les capacités sont limitées par la baisse du niveau des androgènes, nous n'avons pas de réelle limite. Et si notre apprentissage se fait de manière relativement harmonieuse, nous pouvons, avec les années, voir notre désir sexuel devenir de plus en plus présent. Malheureusement, notre apprentissage ne se fait pas toujours de manière idéale. Et l'éducation reçue a rarement valorisé la présence de pulsions sexuelles chez la femme.

Les hommes ont généralement de la facilité à distinguer amour et sexualité. Ce qui ne veut pas dire qu'ils séparent toujours ces deux éléments. Cependant, la nature de leur désir, relié au niveau des androgènes, est beaucoup plus simple que chez la femme. Ils n'ont pas besoin d'avoir un sentiment amoureux pour désirer une femme. S'ils l'aiment, bien sûr, c'est beaucoup mieux et l'intensité de leur désir n'en sera que renforcée.

La nature de notre désir sexuel est plus complexe. Plusieurs éléments, autres que simplement l'attirance physique, entrent en jeu. Nous pouvons désirer un homme uniquement parce que nous le trouvons beau. Mais, en général, sexualité et sentiments seront intimement liés. Qui plus est, notre désir sexuel s'épanouit mieux dans certains contextes bien particuliers. Une soirée en tête à tête, une petite surprise offerte par l'être aimé nous aideront à nous abandonner plus facilement à la rencontre sexuelle. Nous avons besoin de sentir que l'autre nous désire pour ce que nous sommes comme femme et non seulement parce qu'il a besoin de faire l'amour avec quelqu'un. Ce qui veut dire, dans un certain sens, que notre désir sexuel est plus fragile que celui de l'homme et peut être plus facilement perturbé.

Notre façon de nous comporter l'un l'autre à la suite d'une chicane de ménage illustre bien mon propos. Souvent, pour l'homme, le meilleur moyen de se réconcilier, c'est de faire l'amour. Comme il a plus de facilité que nous à détacher les relations sexuelles de leur contexte psychologique, même s'il nous en veut, il peut nous désirer. De plus, il sait que le relâchement de la tension occasionné par la jouissance sexuelle le fera se sentir plus détendu et, par le fait même, moins agressif par rapport à nous.

On ne peut dire que nous voyons les choses sous cet angle. Pour être disponibles à vivre une relation sexuelle, nous avons besoin d'une bonne dose d'abandon et de bien-être par rapport à l'autre. Quand nous lui en voulons, nous pouvons difficilement le laisser approcher. Nous avons le goût de lui arracher les yeux, pas de le bécotter!

Du côté de l'homme, donc, la sexualité peut être la cause du retour à une meilleure entente dans le couple. Pour la femme, ce ne peut être que la conséquence de la réconciliation.

Il est alors facile de comprendre pourquoi, trois fois sur quatre, c'est nous qui avons le désir le plus faible. Celui-ci est simplement plus sensible aux éléments extérieurs.

Les causes de mésententes

1. La routine dans la vie du couple

Quand c'est l'amour passion, qu'on se connaît depuis peu de temps, les problèmes de ce type on n'en a guère. La passion, tout le monde s'accorde là-dessus, ne peut durer toute la vie. Qu'on le veuille ou non, le quotidien et l'accumulation de responsabilités et d'obligations ont des effets sur notre relation. Nous devenons sans trop nous en rendre compte, des fonctionnaires de notre couple, c'est-à-dire que nous le faisons fonctionner, point à la ligne. Et tout le monde sait que la vie de fonctionnaire n'est pas toujours très excitante. Nous nous aimons toujours, mais nous ne partageons pratiquement plus aucun plaisir ensemble. Et puis nous avons l'impression de nous connaître tellement, que plus rien d'imprévu ne peut se produire.

Les femmes sont très sensibles à cela. Voici ce que me disait Diane, 38 ans, mariée depuis quinze ans à Gilbert, mère d'une adolescente de 13 ans et qui travaille comme secrétaire juridique: "C'est bien simple, on a toujours fait l'amour de la même façon. Je peux pas dire que Gilbert soit mauvais amant, mais c'est toujours la même chose. Quand il commence à me caresser, je sais exactement combien de temps ça va durer et ce qui va arriver. C'est toujours pareil. Je vous le dis, c'est aussi excitant que de taper un acte notarié! D'ailleurs, quand j'y pense, nos relations ressemblent un peu à notre vie de couple: pas désagréables, mais ennuyeuses à mourir." Et effectivement, lorsqu'on examine la vie de Gilbert et de Diane, on ne peut que constater la justesse de sa comparaison.

Issus tous les deux du même milieu, ils semblaient plutôt bien assortis. Bien que différents dans leur tempérament, ils avaient plusieurs goûts en commun et partageaient sensiblement les mêmes valeurs. Ils n'étaient pas riches, mais vivaient dans une jolie maison et n'avaient pas de problèmes financiers particuliers. Quant à leur fille, comme toutes les adolescentes, elle avait ses lubies, mais ne leur causait pas vraiment de soucis. Donc, tout était en place pour mener une vie plutôt agréable. Toutefois, ce n'était pas tout à fait ce qu'ils vivaient. Bien sûr, ils avaient pleins de goûts communs. Et au début de leur relation, ils partageaient beaucoup d'activités ensemble. Après leur mariage, ils avaient continué à faire plusieurs choses ensemble. Diane étant devenue enceinte après un peu plus d'un an de mariage, ils décidèrent de laisser leur appartement du nord de Montréal et d'acheter une maison en banlieue.

C'est à partir de ce moment-là qu'ils ont cessé d'avoir vraiment du plaisir ensemble et ont commencé à devenir des fonctionnaires de leur couple. Une maison à payer, un enfant à élever, une deuxième auto à acheter (vie de banlieue oblige), Diane et Gilbert ont laissé la routine, les obligations et la télévision remplir leur vie*.

Les conséquences n'ont pas tardé à se faire sentir sur leur vie sexuelle. La première année de leur mariage, ils se rappellent qu'ils pouvaient faire l'amour presque tous les jours. Diane se rappelle qu'à l'époque elle avait autant de désir que Gilbert. Puis, lentement mais sûrement, son intérêt sexuel a diminué. Aujourd'hui, s'il n'en tenait qu'à elle, ils pourraient passer des mois sans avoir de relations sexuelles. Dans les faits, ils font l'amour à peu près toutes les deux semaines, quand elle sent que Gilbert commence à devenir "marabout".

2. Le symptôme de difficultés relationnelles

La mésentente par rapport à la fréquence des rapports sexuels peut aussi être symptomatique de plus graves problèmes dans le couple.

Ainsi, Maurice qui, à peine installé dans mon bureau, m'a dit, en désignant sa compagne: "Arrangez-la, elle ne marche plus." Je suis habituée à entendre les aveux les plus inattendus, aussi en faut-il beaucoup pour me surprendre. Cependant, je dois admettre que que j'ai eu un sursaut en entendant cette petite phrase. Maurice parlait de sa compagne comme s'il s'agissait d'une transmission d'automobile. Tout dans son attitude indiquait d'ailleurs qu'il considérait Raymonde un peu comme sa propriété et la sexualité, comme son dû. Homme exigeant et perfectionniste, il s'était toujours perçu comme le "chef du foyer". Il s'attendait à ce que Raymonde l'appuie et se soumette à sa volonté. Lorsqu'il s'agissait de prendre une décision importante, même si celle-ci pouvait engager l'avenir de Raymonde et de leurs trois enfants, il ne consultait personne. Il les informait après coup!

Raymonde, de son côté, avait toujours été une femme effacée, peu sûre d'elle. Aussi le tempérament de Maurice était-il fait pour lui plaire. Depuis quelques années, elle avait commencé à travailler à l'extérieur. Des problèmes financiers avaient obligé Maurice à accepter. Cependant, il avait bien averti sa femme qu'elle restait la seule responsable de l'entretien ménager et qu'il s'attendait à ce qu'elle continue de lui préparer ses "lunchs".

---

* Selon une étude récente, le Québécois moyen consacre 27 heures par semaine à la télévision. Ce n'est pas étonnant que la majorité de mes clients disent manquer de temps pour la sexualité.

Avec cette double charge, les journées de Raymonde sont vite devenues interminables. C'est à cette époque qu'elle a commencé à refuser les avances de Maurice. De toute façon, pour ce que ça lui donnait! En cinq minutes, tout était consommé. Elle n'avait jamais eu de plaisir et ne sentait absolument pas qu'il s'en souciait. Avait-il d'autres intérêts que lui-même? L'aimait-il? Était-elle importante pour lui? Plus elle se posait de questions, plus elle sentait monter en elle de l'agressivité et de la frustration.

Les refus de Raymonde devinrent de plus en plus fréquents. Leurs chicanes de ménage aussi. Maurice, au lieu d'essayer de comprendre, blâmait les amies de sa femme qui, selon lui, lui avaient monté la tête. Il était prêt à faire son effort, disait-il, mais il fallait qu'elle aussi fasse le sien. Et l'effort demandé, c'était de "se faire arranger" par un sexologue.

3. Mésentente causée par une autre dysfonction

C'est bien beau désirer faire l'amour! Mais lorsque la pénétration fait mal ou qu'on termine toujours ses relations sexuelles avec un sentiment d'échec (voir chapitres VI, VII, IX et X), il peut être difficile de garder l'intérêt.

Aussi, certaines mésententes par rapport à la fréquence des relations sexuelles sont dues à l'existence, chez un des partenaires, d'une dysfonction sexuelle. Vous savez, il est tout à fait normal d'éviter ce qui n'est pas agréable, autant sur le plan physique que psychologique.

Dans ce cas, le problème à régler n'est pas vraiment la mésentente, mais la dysfonction.

4. La femme qui ne veut rien savoir

Une conception négative de la sexualité de la part de la femme peut entraîner une mésentente sur le plan des relations sexuelles. Pour beaucoup d'entre nous, l'éducation sexuelle s'est résumée à quelques informations sur les menstruations et à des mises en garde contre les garçons et leur appétit sexuel. Quand on pense à cela, dix, quinze ou vingt ans plus tard, ça peut faire sourire.

Mais pour d'autres, cette éducation (qui fait partie de notre apprentissage) a laissé des traces. Par exemple, Carole (27 ans) qui se souvient, comme si c'était hier, de sa mère lui répétant quotidiennement: "Méfie-toi des hommes, ma fille. Ils sont tous pareils. Ils ne pensent qu'à une chose. Et quand ils l'ont, ils te laissent tomber... comme un déchet." Ou encore Yvette, 45 ans, incestuée par son beau-père de l'âge de 8 à 15 ans. Pour elle, la sexualité a toujours été de la "cochonnerie" et les hommes des "cochons"*.

Un traumatisme, comme un viol ou la perte subite d'un être cher, la dépression, une fatigue excessive peuvent aussi engendrer une baisse de désir importante. Évidemment, la présence d'un amant peut aussi avoir les mêmes conséquences.

Mais quand c'est lui qui a moins de désir

Bien que, dans la majorité des cas, ce soit la femme qui ait moins de désir sexuel, il arrive aussi que l'inverse se produise. Madame a le goût quatre fois par semaine et monsieur deux fois par mois!

Lorsque cela arrive, il faut en chercher la cause. Et ce peut être:

1. Présence d'une dysfonction de monsieur. Par exemple, s'il a des difficultés d'érection, éviter des occasions de rapprochement sexuel peut être pour lui un moyen très efficace de ne pas se confronter à sa difficulté.

2. Présence d'un état dépressif (un deuil ou une perte d'emploi causent souvent cet état).

3. Détérioration du couple.

4. Présence d'un amant ou d'une maîtresse.

Le système "chasseur-gibier"

Que ce soit l'homme ou la femme qui ait moins de désir sexuel et quelle que soit la cause de la mésentente, on remarque toujours chez ces couples l'existence de ce que j'appellerai le "système "chasseur-gibier"". Voici de quoi il s'agit.

---

* Les enquêtes et recherches faites sur le sujet tendent à démontrer que les femmes dont on a abusé ou qui ont été agressées sexuellement, si elles ne sont pas aidées, paient souvent toute leur vie la note des actes dont elles ont été victimes. Et quel que soit le nombre d'années passées.

Celui qui a le plus de désir dans le couple est, bien sûr, toujours en attente. Il attend que l'autre veuille ou semble vouloir. Il guette donc les moindres signes d'assentiment chez sa ou son partenaire. Il devient le "chasseur"

L'autre sent bien ce manège. Aussi il ou elle adopte une attitude de plus en plus réservée et rigide. À certains moments, il lui serait peut-être agréable de se laisser embrasser et caresser par l'autre. Mais elle ne peut se le permettre car elle a peur que lui veuille aller plus loin, qu'il tienne à faire l'amour. Elle prend le rôle du "gibier" Avec le temps, elle devient de plus en plus fermée, et plus elle est fermée, plus il est en attente et scrute chacun de ses gestes dans l'espoir que peut-être ce soir-là... Évidemment, plus il agit de la sorte, plus elle se ferme.

Par exemple, prenons le cas de Diane et Gilbert. Au début de leur union, il n'y avait ni "chasseur" ni "gibier". Les deux se sentaient complices de leurs désirs. Puis avec les années, le désir de Diane devenant moins intense, Gilbert s'est mis à l'observer de plus en plus et a appris à déceler les signes de "bonne volonté" chez elle. Lorsqu'ils sont venus me voir, la situation était la suivante: à chaque fois qu'il s'approchait de Diane, soit pour l'embrasser dans le cou, la prendre par la taille ou lui donner une petite tape sur les fesses, il observait la réaction de sa compagne. Si elle le laissait faire, cela signifiait pour lui qu'elle était consentante. Dans le cas contraire, Diane n'avait pas besoin de lui faire un dessin. Par contre, à certains moments, elle aurait aimé se laisser aller à se faire embrasser et caresser. Mais elle n'osait pas car elle savait que, au moindre signe d'encouragement ou d'ouverture de sa part, Gilbert voudrait continuer. Aussi, elle devenait de plus en plus fermée et rigide. Et comme tout bon gibier, elle se protégeait. Bien sûr, Gilbert, de son côté, devenait de plus en plus un fin observateur. Ce qui ne pouvait qu'accroître la fermeture de Diane et ainsi de suite dans une roue sans fin. C'est ce que j'appelle le système "chasseur-gibier".

Traiter ces mésententes

Pour régler ce problème, il faudra:

1. Briser le système "chasseur-gibier".

2. Dans le cas de Diane et de Gilbert, ramener le plaisir et l'excitation dans le couple.

3. Dans le cas de Maurice et de Raymonde, travailler à l'amélioration de la relation du couple gravement détériorée.

4. S'il y a présence de dysfonction, s'occuper d'abord de la dysfonction.

5. Dans le cas de traumatisme, de dépression, de fatigue excessive, de conception erronée de la sexualité, s'occuper d'abord de ces aspects. Par exemple, Yvette et Carole ont dû se pencher sur leur conception de la sexualité.

6. S'il y a présence d'un amant ou d'une maîtresse, s'assurer que, pour la durée du traitement, le partenaire impliqué cesse d'entretenir cette relation.

Les moyens utilisés

1. Pour mettre fin au système "chasseur-gibier", il m'arrive souvent de demander l'arrêt des relations sexuelles durant quelques semaines. De cette manière, il n'y a plus ni chasseur, ni gibier. Par contre, je suggère au couple des exercices de communication sensuelle (Annexe II). Cela leur permet de se rapprocher dans un contexte sécurisant et agréable.

2. Diane et Gilbert ont eu à faire beaucoup d'activités communes reliées au jeu. Par exemple, une semaine, j'ai demandé à Gilbert d'organiser une soirée surprise à Diane. La seule chose dont il devait lui faire part à l'avance, c'était la manière dont elle devait s'habiller. Le reste, que ce soit un pique-nique d'amoureux ou un repas romantique à la maison, devait rester secret jusqu'à la dernière minute. La semaine suivante, ce fut au tour de Diane de préparer une soirée surprise à Gilbert. Une autre semaine, ils ont eu à refaire une de leurs premières sorties. Cette soirée a commencé par un souper dans un casse-croûte, s'est continuée dans une salle de danse rétro et s'est terminée par une session de "parking" mémorable. Évidemment, ces activités devaient se dérouler à deux, sans parents, sans enfants, sans amis. De plus, ils ont eu à diminuer leur consommation de télévision. Pour ce faire, je leur ai simplement suggéré de choisir leurs émissions. Cela évite de laisser la télévision ouverte de dix-sept heures à deux heures du matin.

3. Avec Maurice et Raymonde, il a fallu beaucoup travailler sur la communication dans le couple. Maurice a dû apprendre à dire des choses aussi simples que "s'il vous plaît" et "merci". Il a dû aussi apprendre à écouter ce que Raymonde lui disait. Quant à Raymonde, elle a dû apprendre à s'affirmer encore plus et à dire ce qu'elle voulait sur le plan sexuel. Les exercices de communication sensuelle (annexe II) les ont beaucoup aidés dans ce sens. Ils ont eu à faire aussi beaucoup d'activités

de couple pour tenter de redevenir amis debout pour pouvoir espérer l'être un jour au lit.

4. Tant avec Yvette qu'avec Carole, j'ai beaucoup insisté sur les notions d'apprentissage par rapport à la sexualité.

5. La personne qui a le plus bas niveau de désir sexuel dans le couple suit un apprentissage de fantasmatisation (chapitre IV). Car si celui ou celle qui désire plus y pense tout le temps, celui ou celle qui désire moins évite de penser à ce qui est devenu une corvée.

Être son propre sexologue

Si vous faites face à ce type de problème, voici ce que je vous suggère.

1. Relisez ce chapitre. Trouvez la catégorie de couple qui vous identifie le mieux (on peut être un mélange de plusieurs catégories).

2. Faites lire ce chapitre à votre partenaire. Qu'il trouve, selon lui, la catégorie de couple à laquelle vous appartenez.

3. Comparez vos évaluations.

4. Dressez conjointement, comme je l'ai fait en page 91, un plan de traitement. N'hésitez pas à vous interdire les relations sexuelles durant quelques semaines. Mais n'oubliez pas de faire les exercices de communication sensuelle!

5. Réapprenez à jouer debout. Réservez-vous au moins une soirée de couple par semaine. Planifiez-la comme s'il s'agissait d'un rendez-vous avec un ami ou une relation d'affaires. Certains diront que ce n'est guère spontané. Il ne faut pas confondre "spontanéité" et "ne rien faire". La soirée que vous vous réservez officiellement est le cadre dans lequel votre spontanéité peut s'exprimer. Et justement parce que vous n'avez plus l'habitude de le faire, il est important de se réserver cette soirée officiellement.

6. N'essayez pas de tout changer du jour au lendemain. Ne vous donnez qu'une tâche nouvelle par semaine.

Chapitre IX

"Si ça me faisait rien,
ça me ferait du bien"

(Les douleurs à la pénétration)

C'est en ces termes que Colette, jeune dactylo célibataire de 23 ans, m'a expliqué son problème. Comme la plupart des femmes dyspareuniques, c'est-à-dire qui vivent des douleurs à la pénétration, elle aspirait simplement à la disparition de ces sensations désagréables. Le plaisir sexuel ne faisait pas partie de ses préoccupations.

Elle n'avait pas toujours été ainsi. Durant les deux premières années de sa vie sexuelle, entre 18 et 20 ans, la pénétration n'avait posé aucun problème. Elle aimait la pénétration et obtenait même l'orgasme régulièrement de cette façon.

Le soir de ses 21 ans, ses amis la fêtent. Après un bon repas bien arrosé, ils décident d'aller finir la soirée dans une discothèque à la mode. C'est là qu'elle fait la connaissance de Jean. Bel homme, bien habillé, semblant avoir cinq ou six ans de plus qu'elle, il lui plaît tout de suite. Elle semble aussi lui plaire. Ils dansent beaucoup ensemble et, à la fermeture de la discothèque, il s'offre à la reconduire. Elle accepte. Dans l'automobile, il commence à lui faire des avances. Colette trouve celles-ci très agréables. Elle ne veut pas avoir de relations sexuelles avec lui, en tout cas pas le premier soir, mais comme elle se sent un peu ivre, elle n'a pas la volonté de refuser lorsqu'il lui propose de finir la nuit chez lui.

Arrivés à son appartement, Colette commence à se sentir mal à l'aise. Que fait-elle là? Elle s'était pourtant bien juré que jamais elle ne se retrouverait dans la chambre à coucher d'un inconnu. Et voilà qu'elle est là, nue, dans le lit d'un homme dont elle ne connaissait pas l'existence il y a quelques heures à peine. Pour elle, il est trop tard pour reculer. Elle essaie donc de se raisonner: "N'aie pas peur, il a l'air gentil, ça va bien aller, essaie de prendre ça "cool", t'es pas la première fille à qui ça arrive, etc." Rien n'y fait, elle n'arrive pas à vraiment se laisser aller. Jean, de son côté, semble être un véritable professionnel de ce genre d'aventures. Il sent bien qu'elle est un peu tendue, il remarque qu'elle a peu de lubrification, aussi il tente de la rassurer tout en redoublant d'efforts pour l'exciter. Comme la lubrification ne semble pas vouloir venir, il se sert d'un peu de salive pour humecter le vagin de Colette. Celle-ci se rappelle fort bien la sensation qu'elle a eue à ce moment: "Je sentais son doigt, c'était serré, mais ça ne faisait pas mal." C'est lorsqu'il a commencé à la pénétrer que la douleur est apparue: "C'était très serré, ça frottait et ça brûlait." Heureusement pour elle, Jean est plutôt du type éjaculateur précoce. La pénétration n'a pas duré plus d'une minute. Il demande alors à Colette si elle a joui. Elle répond par l'affirmative pour se débarrasser et décide d'appeler un taxi. Jean est gentil, là n'est pas la question, il lui propose de rester pour dormir, mais elle n'a qu'une seule hâte: se retrouver chez elle et prendre un bon bain. De plus, elle a encore mal et ne veut pas risquer qu'il ait le goût de récidiver le lendemain matin. Dans ce cas, elle n'est pas du tout certaine qu'elle serait capable de supporter à nouveau cette sensation douloureuse.

Durant les mois qui ont suivi cette expérience, elle n'a pas eu d'autres relations sexuelles. Puis elle fait la connaissance de Sylvain, chez des amis. Elle ne le remarque pas trop, mais lui la remarque! Il s'organise pour obtenir son numéro de téléphone et l'invite à aller à la Ronde le samedi suivant. Comme elle n'a pas grand-chose à faire, elle accepte l'invitation. Sylvain est un homme attentif et un peu timide. Colette le trouve sympathique, mais ce n'est pas le coup de foudre. Il faudra attendre quelques mois avant que leur relation amicale devienne amoureuse.

Lorsqu'elle fait l'amour pour la première fois avec Sylvain, elle se sent en confiance et le désire. Elle est très excitée et sent qu'elle a une certaine lubrification. Cependant, plus le moment de la pénétration approche, plus elle sent qu'il y a quelque chose qui cloche: elle a peur que la pénétration lui fasse mal, comme la dernière fois! Au départ d'ailleurs, la pénétration lui fait un peu mal. Mais elle réussit suffisamment à se détendre pour que la douleur disparaisse complètement au bout d'environ une minute.

La fois suivante, même scénario. Et la fois suivante encore... Colette n'a jamais eu avec Sylvain de relations sexuelles où la douleur n'était pas au rendez-vous. Au contraire, avec le temps, celle-ci a eu tendance à devenir de plus en plus présente et lui a enlevé tout goût de faire l'amour. Pourtant, elle aime et désire Sylvain. De son côté celui-ci se sent complètement sans moyen et ne sait pas quoi faire, sauf, bien sûr, de ne pas trop achaler Colette avec "le sexe".

Aussi serait-elle très heureuse si seulement "ça lui faisait rien!"

L'importance de l'anxiété

La dyspareunie, ou douleur à la pénétration, est un problème assez fréquent chez les femmes. Il peut cependant prendre plusieurs formes. L'histoire de Colette est une illustration de ce type de difficulté. Dans son cas, la dyspareunie a été causée par un incident traumatisant. Le souvenir de cet incident a fait naître en elle de l'anxiété face à la pénétration. Quand on est anxieuse, on ne peut être détendue et véritablement excitée sexuellement (souvenez-vous de l'importance du para-sympathique dans l'excitation sexuelle au chapitre III). Ce qui se passe alors, c'est que les parois vaginales demeurent accolées l'une à l'autre et l'utérus ne se soulève pas. Résultat: il y a effectivement peu de place dans le vagin. C'est ce que ressent Colette lorsqu'elle dit que "c'est serré". De plus, cette tension occasionne une diminution de la lubrification. S'il y a peu de lubrification, le frottement de la pénétration causera une irritation résultant en une sensation de brûlure.

Le principe Hygrade

Tout le monde à déjà entendu, au moins une fois, la publicité des saucisses de marque Hygrade: plus le monde en mange, plus elles sont fraîches, et plus elles sont fraîches, plus le monde en mange, et ainsi de suite, juaqu'à la fin des temps. La femme dyspareunique est souvent victime de ce principe que j'appellerai le "Principe Hygrade". Voici comment il fonctionne:

Le cerveau de Colette a enregistré les mauvais souvenirs reliés à son aventure avec Jean. Ainsi, il est tout à fait normal que Colette appréhende les pénétrations. On ne peut pas désirer quelque chose qui nous fait mal. Mais plus elle a peur, plus elle est tendue, et plus elle est tendue, moins elle est excitée, et moins elle est excitée, moins elle a de lubrification, et moins elle a de lubrification, plus ça frotte, et plus ça frotte plus ça brûle, et plus ça brûle plus elle a peur, et plus... Et ça n'arrête pas, comme pour les produits Hygrade.

Chez à peu près toutes les femmes dyspareuniques, on retrouve cette appréhension. Cependant, il y a plusieurs types de dyspareunie et différentes causes à ce problème.

Les différents types de dyspareunie

Une pénétration qui fait mal, c'est une pénétration qui fait mal! On est d'accord là-dessus. Mais la douleur peut être à différents niveaux: elle peut se situer soit au niveau de la vulve et de l'entrée du vagin, soit dans le vagin même ou encore dans le fond du vagin au niveau du col de l'utérus. Aussi, le type de douleur peut varier beaucoup d'une femme à l'autre. L'une la décrira comme une brûlure, l'autre comme un coup très douloureux dans le fond du vagin, une autre encore dira qu'elle est irritée et que c'est un peu comme si on lui raclait la peau du vagin.

Ces distinctions sont importantes. Car une sensation de brûlure se produisant à l'entrée du vagin n'aura pas la même cause que le coup de butoir ressenti au niveau du col de l'utérus. Et il est d'autant plus important de bien distinguer le genre de douleur et l'endroit où celle-ci se produit, qu'environ cinquante pour cent des dyspareunies ont une origine organique. Dans les pages qui suivent, nous allons regarder ces causes médicales.

Douleurs qui se situent à l'entrée du vagin

Lorsque la douleur se situe à l'entrée du vagin, en général la femme parlera d'irritation, de brûlure, de picotement, de frottement.

Les causes de ces douleurs sont les suivantes:

1. Irritation du clitoris causée par le port de jeans trop serrés, traumatisme dû à une utilisation excessive d'un vibrateur, allergie aux désodorisants vaginaux ou à un savon trop parfumé, manipulation trop rude du clitoris par le partenaire, présence d'herpès génital à cet endroit. (comme chez certaines femmes le clitoris se situe très près de l'entrée du vagin, dans certaines positions le coït peut être très douloureux.)

2. Présence de l'hymen: si l'hymen est intact ou partiellement rupturé mais reste rigide, le coït peut être douloureux. La femme aura l'impression d'avoir un mur à l'entrée du vagin.

3. Infections vaginales: les infections à champignons (moniliase), le trichomonas, l'herpès génital peuvent être causes de dyspareunie.

4. Vaginite atrophique: pour les femmes post-ménopausées, c'est la cause la plus fréquente de dyspareunie. La baisse d'oestrogène et de progestérone résulte, entre autres, chez la femme ménopausée en un amincissement des parois vaginales et en une diminution de la lubrification. En plus de l'irritation, la femme pourra avoir le goût d'uriner même si elle vient tout juste de le faire.

5. Sensibilité particulière aux spermicides, aux désodorisants vaginaux, à un savon très parfumé.

6. Douches vaginales trop fréquentes (peut causer des infections à champignons). Ces douches peuvent déséquilibrer le pH du vagin ou le rendre moins acide ou plus alcalin.

7. Port de sous-vêtements de nylon ou de vêtements trop serrés. L'humidité et la chaleur favorisent l'apparition d'infections à monoliase.

8. Allergie au sperme. Cette cause est cependant **extrêmement** rare.

9. Problèmes dermatologiques comme le psoriasis.

10. Lubrification insuffisante. Certains problèmes physiques peuvent expliquer le manque de lubrification (problèmes hormonaux ou prise de certains médicaments par exemple), mais la plupart du temps, ce manque est dû à un problème au niveau de l'excitation sexuelle.

11. Elles peuvent être consécutives à certaines interventions, comme une épisiotomie un peu trop "ajustée" ou l'irradiation vaginale (dans le cas de cancers).

Douleurs qui se situent dans le vagin

Les causes de ces douleurs sont les suivantes:

1. Urétrite: la pénétration peut causer une pression inconfortable et donner le goût d'uriner.

2. "Cystite de la nouvelle mariée". Irritation mécanique causée par des rapports sexuels très fréquents et assez vigoureux. Donne le goût d'uriner.

3. Agénésie (atrophie) vaginale congénitale. Dans de rares cas, le vagin peut être trop petit ou rester à l'état infantile.

Douleurs qui se situent dans le fond du vagin

Lorsque la douleur se situe dans le fond du vagin, la sensation est en général décrite en ces termes: élancement, contraction insupportable, coup de poing dans le bas-ventre.

Les causes médicales de ces douleurs sont les suivantes:

1. Présence d'endométriose.

2. Rétroversion utérine fixe (à ne pas confondre avec la rétroversion utérine mobile qui, elle, ne cause pas habituellement de dyspareunie). On dit que la rétroversion est fixe lorsque le médecin ne peut faire bouger l'utérus de sa position lors de l'examen gynécologique.

3. Problèmes ovariens (mais c'est une cause peu commune de dyspareunie).

4. Grossesse ectopique (c'est-à-dire une grossesse dans les trompes de Fallope).

5. Fissures anormales, hémorroïdes. Dans ce cas, la dyspareunie est causée par la localisation de l'anus par rapport au fond du vagin.

6. Disproportion pénis-vagin. Dans certains cas, le vagin de la femme, bien qu'élastique et s'adaptant à la plupart des modèles masculins, peut être un peu plus court que la moyenne et le pénis de l'homme plus long que la plupart des autres pénis.

Quoi faire?

La première chose à faire lorsqu'on a régulièrement des douleurs à la pénétration, c'est d'aller voir un médecin. Ce peut être un gynécologue, mais ça peut aussi être un bon médecin de famille en qui on a confiance. Certains médecins, par tempérament et intérêt personnel, sont plus à l'aise que d'autres dans les problèmes d'ordre sexuel. Si c'est le cas de votre médecin, tant mieux! Sinon, il pourra sans doute vous référer à un de ses collègues qui porte un intérêt particulier aux problèmes sexuels. On peut trouver un peu bizarre que tous les médecins n'aient pas le même savoir là-dessus, mais n'oubliez pas que la recherche sexologique est très jeune. De plus, les médecins sont des êtres humains, avec leurs valeurs, leurs forces, leurs faiblesses et leurs intérêts personnels. C'est pour cela qu'il est important d'aller vers un médecin dont on sait à l'avance qu'il pourra prendre le temps de nous écouter et qui saura, le cas échéant, nous diriger vers le bon professionnel: autre médecin si le problème est d'origine physique, sexologue dans les autres cas.

Et si ce n'est pas physique?

Comme je l'ai dit précédemment, environ 50% des dyspareunies ont des causes organiques. Dans les autres cas, comme dans celui de Colette, les causes sont d'ordre psychologique. Il est cependant difficile de dresser un portrait type de la "femme douloureuse".

Nous avons vu que la dyspareunie de Colette était conséquente à un incident traumatisant. Chez Francine, par exemple, les douleurs à la pénétration étaient apparues à la suite d'une infidélité de son conjoint. Elle s'était vraiment sentie trahie par ce dernier et était, depuis lors, incapable de s'abandonner aux relations sexuelles. Son agressivité face à son conjoint prenait toujours le dessus sur son désir d'être bien avec lui. Ce qui fait qu'elle ne lubrifiait pratiquement plus et que les pénétrations étaient devenues un véritable supplice.

Quant à Josianne, elle ne se rappelait pas avoir été autrement. Les pénétrations lui avaient toujours fait mal. Elle était allée consulter plusieurs médecins qui lui avaient tous dit la même chose: "Vous n'avez rien d'anormal." Ces médecins ne se trompaient pas. Physiquement, Josianne n'avait rien. Mais elle avait grandi dans un milieu très particulier. Sa mère, femme dépressive et peu heureuse en ménage, selon Josianne, l'avait toujours mise en garde contre les hommes et l'avait élevée avec l'idée qu'une femme qui se donne à un homme est "une vicieuse, une putain, une moins que rien". Cette femme ne voulait pas faire de tort à sa fille, c'est certain. Elle lui donnait ce qu'elle avait reçue. Et elle semblait ne pas avoir reçu beaucoup de choses positives sur la sexualité et les hommes! Josianne a donc intégré les valeurs de sa mère. Dans ces conditions, se laisser aller avec un homme devenait pratiquement impensable!

Colette a 23 ans, est célibataire et a été élevée dans un milieu plutôt ouvert. Francine, 39 ans, mariée depuis 17 ans, deux enfants, a grandi dans une famille nombreuse et traditionnelle, avec tout ce que cela peut comporter d'avantages et d'inconvénients. Quant à Josianne, 32 ans, vivant en union libre depuis cinq ans, nous connaissons déjà l'éducation qu'elle a reçue. Ces femmes se ressemblent peu. Elles ont des tempéraments et des intérêts complètement différents. Cependant, elles ont certains points communs.

1. Appréhension et anxiété face à la pénétration.

2. Peu de véritables connaissances sexuelles.

3. Absence de fantasmatisation de pénétrations agréables.

4. Culpabilité face à leur état.

5. Augmentation de la douleur dans le temps.

6. Évitement des rapprochements sexuels.

Qu'est-ce qu'on fait avec ça?

Le traitement pour dyspareunie est sans doute un des plus délicats que le sexologue ait à faire. Les causes variant énormément d'une personne à l'autre, le thérapeute doit vraiment tenir compte de tous les éléments qui peuvent entrer en jeu. Ceci est vrai de tous les traitements sexologiques. Cependant, la dyspareunie est un problème vraiment particulier, en ce sens qu'il peut avoir énormément de causes (tant physiques que psychologiques) et prendre des formes totalement différentes d'une femme à l'autre.

Les traitements qu'ont suivis Colette, Francine et Josianne furent aussi très différents. Dans le cas de Colette, j'ai beaucoup travaillé sur l'incident traumatisant et grâce, entre autres à une technique de désensibilisation (Annexe IV), il a été possible pour Colette d'avoir des relations sexuelles sans toujours penser à "cette fois-là". Avec Francine, il a fallu donner une attention particulière à la communication dans le couple. Le problème de Francine était en fait, symptomatique d'un mauvais état de santé général du couple. Puis avec Josianne, j'ai mis l'accent sur sa conception de la sexualité. Elle se disait dégagée de l'éducation reçue, mais tous ses comportements et attitudes indiquaient le contraire.

Par contre, il y eut certains points communs à leur traitement:

1. Apprentissage d'une méthode de relaxation longue et de deux méthodes de relaxation brèves (Annexe 1). Ceci pour faire baisser leur niveau de tension et les empêcher de paniquer juste avant la pénétration.

2. Interdiction durant un certain nombre de semaines d'avoir des relations sexuelles avec pénétration. Encore là, le but était de faire baisser l'anxiété et de permettre à la femme de recommencer à désirer les rapprochements. Durant ces semaines, par contre, on donne des exercices de communication sensuelle (Annexe II).

3. Apprentissage de notions d'anatomie et physiologie sexuelle (Chapitre III).

4. Apprentissage d'une méthode de fantasmatisation (Chapitre IV).

Le traitement de Colette s'est bien déroulé et a donné, en l'espace de quelques mois, des résultats très satisfaisants. Pour Josianne, ce fut plus long et plus difficile, mais on a fini par y arriver. Quant à Francine, la relation entre elle et son mari était vraiment détériorée et la dyspareunie n'était que la pointe de l'iceberg. Je les ai donc référés, après quelques semaines, à un conseiller conjugal.*

Être son propre sexologue

Si vous vivez un problème de dyspareunie, voici ce que je vous suggère:

1. Première chose à faire: allez voir un médecin. N'oubliez pas que 50% des douleurs à la pénétration ont des origines organiques.

   S'il ne s'agit pas d'un problème physique:

2. Dégagez les principaux éléments qui entourent votre problème:
   - depuis quand le vivez-vous?
   - pouvez-vous vous souvenir d'un incident précis?
   - si oui, a-t-il rapport avec votre partenaire actuel?
   - vous sentez-vous agressive face à votre partenaire?
   - mis à part la sexualité, comment fonctionne votre vie de couple?
   - etc.

3. Si vous vivez une relation de couple, parlez à votre conjoint de ce que vous avez découvert au point 2. Il est toujours important que le partenaire se sente impliqué: la sexualité ça se vit à deux!

4. A partir de ce que vous avez découvert au point 2, avez-vous l'impression d'avoir besoin d'aide extérieure? Si oui, n'attendez pas, allez consulter. Sinon, l'application des éléments de traitement décrits en page 101 (points communs aux traitements de Colette, Francine et Josianne) peuvent vous aider.

5. Un conseil: n'essayez pas de tout faire à la fois. Ne vous donnez pas plus d'une tâche nouvelle par semaine.

---

* Un sexologue est aussi formé pour s'occuper des éléments relationnels, c'est-à-dire la relation du couple, entourant une difficulté sexuelle. Cependant, lorsqu'il s'aperçoit que la sexualité a finalement peu à voir dans la problématique du couple, il doit référer à un autre professionnel.

Chapitre X

"Il n'y a pas de place, c'est trop petit"

(le vaginisme)

Pour certaines femmes, la pénétration n'est pas que douloureuse, elle est virtuellement impossible. Quoi qu'elles fassent, ces femmes sentent qu'il y a un mur à l'entrée du vagin et que le pénis de l'homme ne peut passer ce mur, aussi délicat et patient soit ce dernier. On appelle cette difficulté le vaginisme. Le vaginisme est causé par une contraction involontaire des muscles de l'entrée du vagin.

Lorsqu'un sexologue voit entrer une femme vaginique dans son bureau, il peut pratiquement dire, avant qu'elle ne l'ait fait elle-même, la raison de sa consultation. Ceci simplement parce que ces femmes ont beaucoup de points communs et que certains d'entre eux sont facilement apparents. Il s'agit en général de femmes jeunes, assez jolies, sympathiques et toujours bien mises. Leur attitude corporelle est caractéristique: elles s'assoient les jambes bien accolées l'une à l'autre et leurs bras sont souvent croisés sur leurs cuisses. C'est le cas de le dire, tout est fermé, rien ne peut passer!

Des femmes phobiques

Sur le plan psychologique aussi, ces femmes ont beaucoup en commun. Elles ont souvent de multiples peurs (peur du noir, de conduire, des araignées, des foules, etc.) et on peut les décrire comme étant de tempérament phobique*. Elles ont aussi tendance à être perfectionnistes, à tout vouloir bien faire. D'ailleurs, dès l'enfance, on retrouve des traces de la "petite fille modèle". Dociles à l'école et à la maison, élèves studieuses, enfants un peu réservées et timides, elles ont tout ce qu'on s'attend à trouver chez une bonne petite fille. Et c'est justement là que se situe leur problème. Elles n'arrivent pas à faire le pas entre l'état de fille et celui de femme. Elles sont, en général, incapables de porter des tampons (même si certaines sont très sportives, elles refusent de voir les avantages du tampon sur la serviette sanitaire) et ne peuvent évidemment pas imaginer vivre une pénétration.

---

* Phobie: peur ou aversion instinctive. À l'extrême, cette ou ces peurs sont symptomatiques de névrose. Avoir un tempérament phobique ne signifie pas nécessairement qu'on souffre d'une névrose. Chacun de nous a un tempérament particulier: par exemple, une personne peut être à tempérament de tendance hystérique sans souffrir de névrose hystérique.

Un vagin minuscule pour un pénis énorme

Elles perçoivent leurs organes génitaux comme ceux d'une petite fille: petits, très petits. Et les organes génitaux de l'homme, gros, très gros. Les figures 19 et 20 illustrent comment Josée, une femme vaginique de 24 ans, perçoit ses organes génitaux et ceux de son partenaire. Pensez-vous que le pénis de la figure 20 puisse entrer dans le vagin de la figure 19? Lorsque j'ai posé la question à Josée, elle m'a, bien sûr, répondu négativement. Et souvenez-vous, comme nous l'avons souligné au chapitre IV sur les fantasmes, qu'on ne peut faire ce qu'on est incapable d'imaginer.

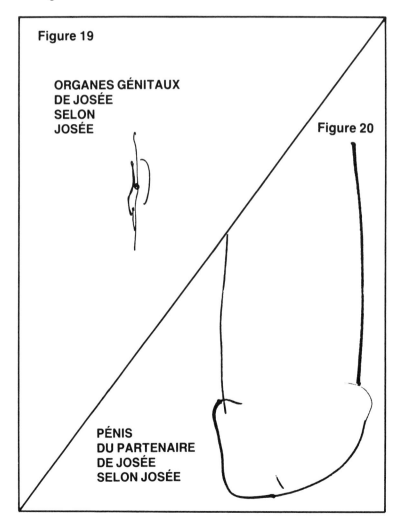

Figure 19

**ORGANES GÉNITAUX
DE JOSÉE
SELON
JOSÉE**

Figure 20

**PÉNIS
DU PARTENAIRE
DE JOSÉE
SELON JOSÉE**

Des couples unis

On pourrait croire que ces femmes vivent des situations de couple tendues. Au contraire! Les couples où la femme est vaginique sont, la plupart du temps, des couples unis qui s'entendent très bien. À les voir se faire les yeux doux, se prendre les mains, on dirait de jeunes tourtereaux. Pourtant, plusieurs de ces couples ont huit, dix, douze ans d'existence. Et ce n'est pas parce qu'ils ne vivent pas de pénétration qu'ils n'ont aucune activité sexuelle ensemble. Certains de ces couples ont une vie sexuelle très active... mais sans pénétration.

Le compagnon: un protecteur

Le compagnon de la femme vaginique est souvent un homme du type "protecteur". Il prend soin de sa femme, est très patient avec elle et craint surtout de lui faire mal ou de la brusquer de quelque façon que ce soit. Vous savez, il est rare qu'on se retrouve avec quelqu'un "pour rien, comme ça par hasard". Lorsque deux êtres se rencontrent et décident de faire un bout de chemin ensemble, c'est, bien sûr, qu'ils ont des points communs, sont sur la même "longueur d'onde". Mais c'est aussi qu'ils répondent tous deux aux besoins de l'autre. Il peut sembler surprenant que les femmes vaginiques se retrouvent avec des hommes protecteurs. Il n'y a rien cependant qui aille mieux avec ce type d'homme qu'une femme à tempérament phobique qui a justement besoin et envie de se faire protéger.

D'ailleurs, lorsqu'ils viennent consulter à deux, c'est rarement Monsieur qui a poussé Madame à aller demander de l'aide à un professionnel. Il n'y a pas de menace du genre: "Si tu ne te fais pas traiter, je te quitte." C'est elle qui prend la décision. Elle peut, bien sûr, avoir peur qu'il se lasse et parte, mais il s'agit le plus souvent d'une impression non justifiée par l'attitude ou les comportements de son compagnon. Entre vous et moi, si le conjoint d'une femme vaginique veut la quitter à cause de la sexualité, il le fait bien avant huit, dix ou douze ans! S'il décide de se séparer après tout ce temps, ce ne sera certes pas juste à cause de la sexualité. D'autres éléments interviendront.

Des femmes courageuses

Donc, c'est la femme qui décide de consulter. Personnellement, j'ai beaucoup d'admiration pour ces jeunes femmes qui, malgré leur tempérament, ont le courage de prendre le taureau par les cornes et de faire face à leurs peurs. Je dis bien "courage", car il en faut. Imaginez que vous avez une peur panique de la pénétration et que vous allez voir quelqu'un dont le travail consistera justement à vous amener à pouvoir vivre une pénétration. Vous pouvez désirer consciemment la pénétration, pour être normale, pour être une vraie femme, mais la peur est là, réelle, et jusqu'à maintenant, c'est elle qui fut la plus forte!

Dans la grande majorité des cas, les femmes vaginiques n'ont jamais vécu de pénétration complète. Elles ont aussi réussi, pour la plupart, à éviter l'examen gynécologique. Mais il arrive aussi qu'un vaginisme soit secondaire à une dyspareunie (Chapitre IX). Dans ce cas, la femme n'est pas nécessairement de tempérament phobique. Son impossibilité de vivre la pénétration vient plutôt du souvenir douloureux des pénétrations antérieures. Il ne s'agit pas d'une peur sans fondement concret.

La femme vaginique est loin d'être frigide

On pourrait croire que la femme vaginique porte peu d'intérêt à la sexualité. Ce serait mal la connaître. Elle serait même plutôt portée sur la chose. C'est une femme facilement excitable qui lubrifie beaucoup (dans les cas où le vaginisme n'est pas causé par une dyspareunie) et qui atteint facilement l'orgasme. La seule chose qui ne fonctionne pas, c'est la pénétration!

Le traitement du vaginisme

Si une personne a peur de l'eau, rien ne sert de la pousser contre son gré à l'eau. On ne fera qu'accroître sa crainte. Il faut donc y aller graduellement: on commence par demander à la personne de s'approcher de la piscine, on lui fournit une veste de sécurité, on se met soi-même à l'eau, on tient une planche, on avertit la personne qu'il y a trois pieds d'eau et on lui demande de s'asseoir près de la piscine et d'y mettre le gros orteil. Lorsqu'elle se sent à l'aise dans cette position, on lui suggère de mettre ses deux pieds à l'eau et ainsi de suite, jusqu'à ce que la personne puisse nager seule.

Le traitement du vaginisme est conçu de la même manière. L'instructeur de natation est le sexologue et la personne qui a peur de l'eau est la femme vaginique. Lorsqu'elle vit en couple, son compagnon deviendra un peu l'assistant instructeur. Il servira de soutien et d'appui moral. Par sa présence rassurante, il permettra à la femme de se sentir plus en confiance et de passer à travers les quelques moments difficiles du traitement.

Malheureusement, il y a toujours un ou deux de ces moments. Et c'est tout à fait normal puisqu'il s'agit de passer à travers une peur très importante.

Le véritable patron d'un tel traitement, ce n'est pas le sexologue. Non, le patron, c'est la femme. C'est elle qui décide du rythme du traitement et qui voit jusqu'où elle peut affronter sa peur. Encore là, rien que de très normal, puisque c'est elle qui la vit. Elle la connaît donc très bien.

Le traitement pour vaginisme contient des éléments qu'on retrouve dans d'autres types de traitements sexologiques: relaxations, fantasmatisation, exploration sensorielle, etc. Mais il y a aussi des éléments spécifiques au vaginisme où la femme apprend justement à apprivoiser son corps et sa peur. Par exemple dans certains cas, une des premières étapes que la femme doit franchir est d'apprendre à mettre un tampon et à le retirer. Cela peut sembler drôle, mais si la femme vaginique craint d'insérer un tampon dans son vagin, elle a tout aussi peur de le retirer. Elle est convaincue que cela va lui faire mal et qu'il y a risque que la corde ne soit pas suffisamment solide. Une fois cette barrière franchie, on pourra passer à une autre étape qui amènera graduellement la femme à pouvoir vivre une pénétration.

Être son propre sexologue

Vous êtes vaginique? Vous voulez essayer de faire quelque chose pour régler votre problème? Voici quelques suggestions qui pourraient vous aider.

1. Parlez de vos peurs à votre partenaire (si partenaire il y a).

2. Apprenez la méthode de relaxation en Annexe I qui sera préparatoire pour vous à l'apprentissage et l'utilisation des techniques de relaxation brèves décrites aussi en Annexe I.

3. Imaginez, après chacune des relaxations longues, que votre vagin est grand, très grand. Ceci est d'ailleurs tout à fait réel puisque les parois vaginales des femmes sont élastiques et s'adaptent aux différents formats de pénis, un peu comme les bas culottes *"one size"*. De plus, comme nous l'avons vu au chapitre III, lorsque vous êtes excitée sexuellement et que vous lubrifiez, votre vagin devient plus long et plus large.

4. Faites, seule, l'auto-examen de vos organes génitaux (Chapitre III).

5. Après une relaxation, seule, essayez d'insérer un doigt dans votre vagin. Si vous sentez une résistance, prenez une profonde inspiration et, en expirant, poussez comme si vous vouliez aller à la selle. Vous verrez, la résistance musculaire de l'entrée du vagin disparaîtra. Demandez-vous ce que vous ressentez. Refaites cet exercice avec votre partenaire. Puis montrez-lui comment insérer son doigt dans votre vagin.

6. Durant vos relations sexuelles, appuyez le pénis de votre partenaire contre votre vagin. N'essayez pas de l'insérer.

7. Lorsque vous vous sentirez à l'aise, vous pourrez essayer d'entrer lentement le gland du pénis de votre partenaire dans l'entrée du vagin. Refaire préalablement l'exercice du doigt (au point 6) peut aider. Si vous sentez une résistance, prenez une inspiration profonde et, en expirant, poussez comme si vous vouliez aller à la selle. Si ça ne fonctionne pas, n'insistez pas. Vous vous réessaierez la prochaine fois. Si ça fonctionne, demandez-vous ce que ça vous fait avant de paniquer. Pour les quelques relations suivantes, n'allez pas plus loin.

8. Lorsque vous vous sentez à l'aise avec l'étape 7, essayez d'insérer le pénis un peu plus profondément en suivant les mêmes consignes qu'au point 7.

9. Mêmes consignes qu'au point 8. N'allez pas trop vite. C'est essentiel. Respectez votre rythme. Vous pouvez rester plusieurs semaines sur la même étape.

10. Mêmes consignes qu'au point 8. Il est préférable de faire chaque exercice plusieurs fois avant de passer à l'étape suivante.

11. N'essayez pas d'aller trop vite. Ne faites pas plus d'une étape par semaine.

12. Ne vous acharnez pas! Si vous sentez que vous paniquez, que la peur est la plus forte, cessez cet auto-traitement. Vous avez sûrement besoin de l'aide d'un sexologue.

Chapitre XI

Vouloir être une super-amante

Il y a cinquante ans, nos mères et grand-mères ne se souciaient guère de leur performance sexuelle. De toute façon, comme je l'ai dit au début de cet ouvrage, l'être sexuel, c'était l'homme. Mais les temps ont bien changé et aujourd'hui la "compétence sexuelle", si je puis m'exprimer ainsi, est de plus en plus une préoccupation pour les femmes.

Nous voulons être de bonnes amantes! On exigeait déjà de nous que nous soyons des mères attentives et attentionnées, des travailleuses ultra-compétentes, des ménagères hors pair. Tant qu'à faire, pourquoi ne pas en profiter pour être aussi des super-amantes? Bien sûr, je caricature un peu, mais le fait est que plusieurs d'entre nous se dépensent beaucoup et exigent d'elles de tout faire parfaitement. Si vous vous levez tôt le matin et vous vous couchez tard le soir, si vous n'avez pas une minute à vous, si vous avez l'impression de courir tout le temps, si les gens de votre entourage s'extasient sur votre efficacité et votre diligence, si malgré votre surcharge de travail et d'occupations vous faites tout pour **paraître** (non pas **être**) fraîche et dispose, si vous avez besoin d'être en contrôle des choses et des gens qui vous entourent, peut-être êtes-vous une de ces superfemmes*.

Ces "superfemmes", j'en reçois de plus en plus régulièrement dans mon bureau. Elles peuvent être aussi bien avocates, sténodactylos, mères au foyer, mariées, célibataires, divorcées, leur statut social et marital importe peu. Cependant, elles ont en commun l'agenda ou le calendrier chargé, la mise soignée, le sourire de circonstance et souvent le manque de désir ou l'incapacité à atteindre l'orgasme.

La sexualité pour ces femmes est une activité comme les autres. Et comme dans les autres activités, elles doivent y exceller. Ce faisant, elles perdent une partie du sens des rencontres sexuelles. D'un échange de plaisir entre deux personnes qui s'aiment, elles le transforment en un exercice où il y a des règles à suivre pour atteindre l'objectif fixé: amener leur partenaire au septième ciel. Leur plaisir au présent, ce qu'elles vivent et ressentent importent peu. Leur satisfaction tire son origine ailleurs, c'est-à-dire dans ce qu'elles ont accompli.

---

* Marjorie Hansen Shaevitz a très bien décrit ces femmes dans son livre *Le complexe de la superfemme,* publié par la maison Québec-Amérique en 1986.

Se fixer un tel objectif, devoir l'atteindre, se centrer sur l'autre, c'est carrément épuisant. Cela génère ce qu'on appelle de l'anxiété de performance. Il s'agit d'un phénomène bien connu de l'étudiant avant un examen ou de l'athlète avant une compétition. Et justement, pour la femme qui se veut super au lit, la relation sexuelle ressemble beaucoup à une compétition ou à un examen. Elle peut être fière d'elle après, fière de ce qu'elle a fait, et en retirer de la satisfaction. Le plaisir là-dedans? Il passe au second plan.

Les superfemmes voulant tout faire parfaitement, on ne se surprendra pas qu'elles aient des journées toutes aussi super organisées et super remplies. En général, la journée de la superfemme commence très tôt le matin, vers six heures, six heures trente, et se termine rarement avant vingt-deux ou vingt-trois heures. Ces femmes dorment peu et ont souvent le sommeil agité par toutes sortes de préoccupations. Quelques exemples de ces préoccupations: Comment mon patron va-t-il juger le dossier que je lui ai préparé? Le lunch des enfants pour leur journée de plein air sera-t-il suffisant? Vais-je avoir le temps d'aller chez le nettoyeur avant d'aller chercher la petite à la garderie? Où puis-je caser ce rendez-vous inattendu mais important? Comment puis-je m'organiser pour faire le lavage tout en nettoyant la salle de séjour et en préparant un repas gastronomique pour six?

Il est évident qu'avec un horaire de quinze à seize heures par jour, ces femmes se sentent souvent essoufflées et fatiguées et qu'elles n'ont pas beaucoup de temps pour penser à leurs loisirs, qu'ils soient plus ou moins intimes. Dans ce contexte, la sexualité est reléguée très loin derrière dans le rang des priorités. Il pourrait difficilement en être autrement.

Pour s'épanouir, notre sexualité a besoin de disponibilité de notre part. Le désir sexuel et l'orgasme font rarement bon ménage avec un surcroît d'obligations. Quand on est une superfemme, ce n'est pas facile d'être disponible physiquement et psychologiquement. Physiquement, on est beaucoup trop fatiguée et débordée pour pouvoir s'abandonner à la relation sexuelle. Psychologiquement, cet abandon demeure aussi difficile, puisqu'on est trop préoccupée pour vraiment avoir la "tête à ça" et qu'en plus, on a besoin de garder un certain contrôle sur tout ce qui nous entoure.

Malheureusement, quand on est pris dans cet engrenage de performance et de tâches à accomplir le plus parfaitement possible, il est loin d'être aisé de s'en détacher. On ne peut changer sa manière d'être et de faire du jour au lendemain. Depuis des années, on s'est habituée à fonctionner à 150 à l'heure. On ne s'aperçoit même plus qu'on est essoufflée et on a peine à imaginer que l'on pourrait vivre autrement. Pourtant, la superfemme aux prises avec une difficulté sexuelle telle que le manque de désir ou l'anorgasmie, n'a pas le choix. Si elle veut avoir une sexualité plus satisfaisante, elle devra modifier certaines choses dans sa vie.

Le traitement sexologique d'une superfemme sera, à la base, le même que celui de n'importe quelle autre femme souffrant d'une difficulté sexuelle similaire. Cependant, il faudra tenir compte des caractéristiques de ce type de femmes. Ces caractéristiques sont:

1. Un horaire inhumain,

2. Le besoin de garder le contrôle et la difficulté à déléguer,

3. Le besoin de tout faire parfaitement.

La superfemme devra donc:

1. *Apprendre à s'en tenir à l'essentiel.* Pour la superfemme, tout ce qu'elle fait est essentiel. Il n'y a pas grand-chose qu'elle puisse mettre de côté.

Aussi, pour vérifier si tout ce qu'elle fait est vraiment essentiel, je lui demande de préparer deux colonnes sur une même feuille. Sur la première colonne, elle doit inscrire la liste de ses tâches. Sur la deuxième, elle indique le niveau d'"essentialité" de chaque tâche. Les choses absolument essentielles sont cotées 1, celles qui le sont un peu moins 2, et ainsi de suite sur une échelle de 1 à 5.

2. *Apprendre à déléguer.* Pour ce faire, la femme examine sa liste des tâches. De 1 à 3, il s'agit sans doute des tâches dont il est difficile de se libérer. Par contre, les tâches cotées 4 et 5 pourraient peut-être être accomplies par quelqu'un d'autre. Est-il vraiment essentiel de faire soi-même le lunch des enfants coté 4, ou l'expédition du courrier au bureau coté 5?

La femme devra accepter que la ou les personnes à qui elle délègue des tâches ne travaillent pas nécessairement comme elle. Ce qui ne signifie pas que la tâche sera moins bien exécutée. Ce peut même être le contraire.

Elle devra aussi comprendre que déléguer, ce n'est pas abandonner ses responsabilités. C'est souvent, au contraire, s'assurer que les choses seront faites à temps par une personne compétente. Ce qui libère la femme et lui permet d'être plus disponible pour autre chose: la sexualité par exemple.

3. *Apprendre à se donner du temps.* La superfemme s'occupe de tout, sauf d'elle-même. Je lui demande donc de se réserver une demi-heure ou une heure tous les jours. Il s'agit souvent d'une tâche fort complexe pour ces femmes. Aussi, je leur suggère de l'inscrire dans leur agenda ou sur leur calendrier comme les autres tâches et rendez-vous. La consigne durant cette heure ou cette demi-heure est fort simple, mais stricte: on peut faire n'importe quoi qui ne sert à personne d'autre qu'à soi-même: prendre un bon bain chaud, écouter de la musique, se faire un manucure, lire son magazine préféré, etc.

4. *Apprendre à penser plaisir.* Pour cela, la femme doit d'abord oublier la performance. La sexualité n'est pas une discipline olympique. La femme doit donc se centrer sur ce qu'elle ressent en faisant l'amour. L'exercice d'exploration sensorielle (Chapitre V) peut être très utile en ce sens.

Se concentrer sur ce que l'on ressent cela veut dire profiter pleinement de chaque sensation. Ce qu'on ne fait évidemment pas lorsqu'on se dit: "Je devrais peut-être caresser Jacques. Il y a dix bonnes minutes qu'il me caresse. Ce doit être mon tour." Il ne s'agit pas pour la femme d'être totalement passive, mais simplement de se laisser guider par son envie du moment et non par ce qu'elle pense devoir faire à ce moment-là.

5. *Apprendre à être tolérante envers soi-même.* Les superfemmes qui me consultent se choquent souvent contre elles-mêmes parce qu'elles n'ont pas réussi à faire tel ou tel exercice parfaitement. J'insiste donc beaucoup pour qu'elles se montrent plus douces envers elles-mêmes et qu'elles se laissent la chance à l'essai-erreur.

En résumé, ce qui compte vraiment, c'est d'amener la femme à adopter des attitudes et comportements qui, tout en lui permettant de continuer à fonctionner avec efficacité, favorisent chez elle un mieux-être sexuel.

Chapitre XII

Se retrouver seule

Une des pires épreuves qu'une personne puisse traverser, c'est sans doute la perte de l'être aimé. Que cette perte se produise à la suite du décès de l'autre ou à cause d'une séparation, se retrouver seule est le plus souvent très pénible et ce, même si on avait le sentiment de ne plus avoir d'amour pour l'autre. On ne peut vivre des années avec quelqu'un sans avoir à son égard une certaine forme d'attachement. Aussi, donc, quels que soient nos sentiments, la perte de l'autre entraîne toujours une période de deuil.

Durant cette période, il est normal de passer par plusieurs états. On peut vivre, par exemple, beaucoup de colère et de révolte, aller même jusqu'à nier le départ de l'autre, puis se sentir dépressive durant un certain temps pour finalement accepter la perte subie.

Concrètement, se retrouver seule implique une foule de changements dans notre vie. Entre autres, notre sexualité peut se trouver particulièrement chambardée. Ainsi, lorsque Fernande, 48 ans, est venue me consulter, elle s'était séparée de Robert depuis dix mois. Ils avaient été mariés pendant près de vingt-cinq ans et, bien qu'ayant eu des hauts et des bas comme à peu près tous les couples, Fernande n'aurait jamais cru en arriver là. Il est vrai que, depuis quelques années, elle avait senti que Robert s'éloignait d'elle. Mais lorsqu'il lui a annoncé qu'il la quittait pour une autre, ce fut le choc! Durant les deux premiers mois, elle s'est sentie comme un "zombie" (c'est son expression) et faisait comme si Robert était parti en voyage d'affaires pour quelques jours. Puis, un beau matin, elle a réalisé que Robert ne reviendrait pas. Les crises de larmes ont succédé aux colères et aux accès de dépression durant les trois mois suivants. Puis, lentement mais sûrement, la vie a repris ses droits. Elle a recommencé à s'alimenter normalement et a repris le goût de s'occuper de son corps. Un jour, elle s'est aperçue qu'il y avait près de huit mois qu'elle n'avait pas fait l'amour. Elle ne se rappelait pas, depuis les vingt-cinq dernières années, avoir connu une telle période de disette. Jusqu'à ce moment-là, elle n'en avait pas vraiment souffert, mais elle devait s'avouer que la situation commençait à lui peser.

La solution idéale aurait sans doute été de se trouver un autre homme. Mais c'est plus facile à dire qu'à faire! Elle n'était pas sûre de se souvenir comment faire pour séduire un homme... après tout, il y avait si longtemps que cela ne lui était pas arrivé. Puis, même si elle rencontrait un homme qui lui plaisait et à qui elle plaisait aussi, elle ne pouvait s'imaginer au lit avec quelqu'un d'autre que Robert. Non pas que Robert fût pour elle un amant extraordinaire, surtout les dernières années, mais c'était le seul qu'elle avait connu. De plus, elle ne savait où elle pourrait rencontrer un homme. Elle ne se voyait aller ni dans les bars ni dans les discothèques, et ne voulait pas fréquenter les groupes de personnes seules.

Elle en était donc "réduite", comme elle le disait, à se masturber. Cette activité provoquait d'ailleurs chez elle un fort sentiment de culpabilité et lui faisait encore plus réaliser l'ampleur de sa solitude qui n'était pas, soit dit en passant, que sexuelle. N'ayant jamais travaillé à l'extérieur et ayant toujours été d'un naturel timide, ses amis avaient toujours été ceux de son mari. Le mari parti... les amis ont suivi. Ses trois enfants étaient maintenant des adultes. Bien qu'attentionnés à son endroit, Fernande n'aurait voulu pour rien au monde être un poids pour eux. Elle leur laissait donc entendre qu'elle n'avait pas besoin d'eux et qu'elle se débrouillait très bien seule. En fait, mis à part une soeur avec qui elle allait manger de temps en temps, elle avait très peu de contacts sociaux.

Lorsque Fernande est venue me consulter, elle voulait d'abord que je l'aide à se trouver un nouveau compagnon. Elle espérait aussi que je lui donne des moyens pour qu'elle se sente à l'aise au moment fatidique où elle irait au lit avec ce monsieur. Enfin, elle désirait avoir des trucs pour cesser ses activités masturbatoires qui, selon elle, ne devaient pas être très bonnes pour sa santé.

Se trouver un nouveau compagnon

Refaire sa vie après un deuil ou une séparation, ce n'est pas toujours facile. Comme Fernande, beaucoup de femmes se retrouvent isolées affectivement et socialement. La première tâche pour ce type de femmes consistera à se créer un nouveau réseau social.

Avoir des amis à soi, qu'on ne risque pas de perdre à cause du départ de l'autre, est une chose extrêmement importante. La présence d'amis est un élément stabilisateur. Elle permet de se sentir plus en sécurité dans la vie et rend celle-ci beaucoup plus agréable. Une personne qui a un bon réseau social a aussi plus de chances de rencontrer un nouvel amoureux. Non seulement parce qu'elle a plus d'occasions par ses activités et ses relations amicales de faire la connaissance de gens intéressants, mais aussi parce que quelqu'un qui se sent bien dans sa peau attire plus les autres que quelqu'un qui se sent mal. Et avoir des amis, ça aide à se sentir mieux.

Pour la personne seule, se créer un nouveau réseau social peut sembler une tâche ardue. On ne sait trop comment s'y prendre. On n'est tout de même pas pour s'installer au coin d'une rue avec une pancarte "recherche désespérément des amis"!

Ne vous en faites pas, il existe un moyen beaucoup plus simple et efficace pour y arriver. Et ce moyen, c'est de partir de soi, c'est-à-dire de ses goûts à soi. On dresse une liste écrite de ce qu'on aime ou aimerait faire, par exemple, lire, écouter de la musique, jardiner, prendre un cours d'anglais ou de cuisine chinoise, visiter des musées, jouer au tennis ou aux cartes, etc. À partir de cette liste, on isole une ou deux activités qui nous tiennent particulièrement à coeur et qui peuvent demander la présence d'autres personnes. Puis on part à la recherche de clubs ou d'associations regroupant des gens qui ont le même goût que soi. Bien sûr, on peut visiter des musées ou faire de la bicyclette seule. On n'est pas obligé d'être en groupe pour chacune de ses activités. Cependant, le partage d'un goût commun sert souvent de base à l'amitié.

La femme qui vient de vivre une perte a aussi souvent tendance à se négliger physiquement. Sans s'en apercevoir, parce que rien ne lui tentait plus, elle s'est mise à engraisser ou à maigrir, a cessé toute activité sportive, a peut-être pris l'habitude de boire un peu trop ou encore d'absorber plus que sa part de médicaments pour dormir. Bref, on ne peut dire qu'elle soit en forme. Le vieil adage "un esprit sain dans un corps sain" a toujours sa raison d'être. Le femme devra donc se reprendre en main. Un examen général chez le médecin lui permettra de connaître son état de santé et de prendre les dispositions qui s'imposent. Ce peut être difficile de décider de recommencer à faire ses exercices matinaux, mais une fois commencés, ils peuvent nous apporter une grande sensation de mieux-être.

Le remise en forme n'implique pas que des efforts. Il faut aussi réapprendre à prendre soin de soi physiquement et ne pas hésiter à s'offrir des gâteries qui remontent le moral, par exemple, une session chez l'esthéticienne, un nouveau parfum, des vêtements neufs, etc. Il n'est pas nécessaire de dépenser une fortune, il s'agit simplement d'être bonne pour soi. Certaines diront:

"À quoi bon? Je n'ai personne à qui plaire." Ce raisonnement négatif ne mène à rien. Souvenez-vous que la première personne à qui vous devez plaire, avant d'oser espérer plaire à quiconque, c'est vous-même!

Il n'y a pas de truc miracle pour trouver une nouvelle âme soeur. Ce qu'il y a, par contre, c'est un état de bien-être et de disponibilité intérieur. Être disponible, cela ne veut pas dire être désespérée. La personne isolée, qui n'a aucun ami, risque de se sentir justement désespérée et de courir après l'amour comme s'il s'agissait d'une bouée de sauvetage qui peut redonner tout ce qui a été perdu. Cette attitude se sent et est rarement très invitante. Je ne veux pas dire que l'amour ne nous donne rien. Mais l'amour n'est pas une panacée pour tout. Et tout miser là-dessus, c'est un peu comme mettre tous ses oeufs dans le même panier.

Pour certains, le recours à une agence de rencontre sérieuse ou aux petites annonces d'un grand journal peut être profitable. D'autres vont faire l'heureuse rencontre, par hasard, au supermarché ou en allant reconduire leur rejeton à l'aréna. D'autres encore vont trouver l'être aimé à l'intérieur de leur club de jardinage ou de bridge. Mais quel que soit le mode de rencontre, qui peut varier d'une personne à l'autre et d'une fois à l'autre, je le répète, ce qui compte, c'est l'état intérieur.

Ne pas savoir quoi faire au lit

Quand on a fait l'amour avec la même personne durant plusieurs années, on s'imagine mal avoir des relations sexuelles avec quelqu'un d'autre. D'autant plus qu'on peut se sentir "rouillée". On a peur de figer là et de ne pas savoir quoi faire. On craint aussi un peu que l'autre soit trop brusque. En fait, on ne sait pas vraiment à quoi s'attendre et évidemment on imagine le pire.

Cette attitude est tout à fait compréhensible et normale. Personne ne se sent très à l'aise devant l'inconnu. Durant des années, nous avons vécu notre sexualité avec le même homme. Dans certains cas, ce n'était peut-être pas très excitant, mais au moins nous savions à quoi nous attendre. Là, nous nous retrouvons dans un contexte complètement différent dont nous ne contrôlons pas tout les éléments. Il est donc normal de ne pas se sentir très sûre de soi.

On pourrait être tentée de faire semblant et s'efforcer de ne rien laisser paraître de son malaise. C'est le plus sûr moyen de se sentir encore plus mal. Si on veut se donner une chance de vivre cette nouvelle expérience de manière satisfaisante, il n'y a qu'une seule chose à faire: parler de ce qu'on ressent à son partenaire. Il ne s'agit pas de lui raconter sa vie ou d'entrer dans des détails qu'on préfère garder pour soi. Non, tout ce qu'il y a à faire, c'est de lui dire le plus simplement possible qu'on ne se sent pas très l'aise, qu'on a fait l'amour longtemps avec le même homme et que, si on semble un peu figée, c'est qu'on n'a pas vraiment l'habitude de ces situations. À moins d'avoir affaire à quelqu'un de complètement insensible (dans ce cas, on ne perd rien en se rhabillant tout de suite), votre franchise ne pourra que le toucher. Vous vous sentirez plus détendue car vous n'aurez rien à camoufler. Ce qui ne fera qu'accroître les probabilités de vivre une relation sexuelle satisfaisante.

Et la masturbation?

La masturbation est souvent considérée par les femmes qui se retrouvent seules comme un pis-aller. Tout comme Fernande, nous nous sentons "réduites" à la masturbation par nos pulsions sexuelles. Si seulement nous pouvions nous en empêcher, nous ne sentirions pas une telle culpabilité. D'autant plus qu'après coup on peut avoir l'impression d'être encore plus seule qu'auparavant.

Nous avons vu (Chapitre V) que l'inconfort relié à la masturbation a plusieurs origines. L'éducation reçue et les mythes encore largement répandus par rapport à cette activité font que nous gardons souvent l'impression qu'il s'agit de quelque chose de plus ou moins acceptable.

Fernande souhaitait que je lui donne des trucs pour cesser de se masturber. Je n'ai malheureusement pas pu accéder à sa demande. Car, pour ce faire, il aurait fallu inhiber ses pulsions sexuelles. Celles-ci étant loin d'être exagérées ou hors du commun, je ne me donnais aucun droit pour tenter de les modifier de quelque façon que ce soit. Je dis bien "tenter" car ce n'est pas quelque chose qui se fait très aisément*. Aussi, j'ai plutôt travaillé avec elle sur sa conception de la masturbation.

Se donner une chance

Recommencer sa vie sexuelle, je l'ai dit au début de ce chapitre, après plusieurs mois ou années d'abstinence, ce n'est

---

* Dans le traitement des déviants sexuels, on peut réussir par certaines techniques, à modifier des éléments de la pulsion sexuelle. Cependant, il s'agit de traitements peu faciles qui demandent beaucoup d'habileté et d'expérience de la part du thérapeute et qui ne sont pas toujours couronnés de succès.

pas toujours facile. Quelques règles peuvent aider à entreprendre ce redémarrage de manière positive.

1. Ne pas exiger de soi d'être parfaitement à l'aise. Se rappeler qu'il est normal qu'on craigne l'inconnu.

2. Parler de ses craintes à l'autre. C'est le plus sûr moyen de réussir à se détendre.

3. Se laisser le droit aux essais-erreurs. Si la première fois on s'est sentie extrêmement tendue, ne pas s'en faire, la prochaine fois ça ira sans doute mieux.

4. Si on a des pulsions sexuelles et qu'on a le goût de se masturber, se rappeler qu'il s'agit d'une activité qui nous appartient et qui ne regarde que nous. (Relire le chapitre V à ce sujet.)

5. Ne pas se négliger. Prendre soin de soi physiquement pour se sentir bien dans sa peau.

6. Se créer un réseau social.

7. Se rappeler que la sexualité, c'est comme la bicyclette: après quelques coups de pédalier, ça revient tout seul!

Chapitre XIII

Quelques mots sur les MTS

> **Petit quiz: si je vous dis "elle court, elle court, la maladie d'amour", vous pensez:**
> **a) à la chanson de Michel Sardou,**
> **b) au SIDA?**

Il y a quelques années, vous m'auriez répondu "a" sans hésitation. Aujourd'hui, ce n'est pas si sûr, et pour cause! Les journaux, la radio, la télévision ne cessent de nous apporter régulièrement des nouvelles, toutes plus sensationnelles les unes que les autres, sur la recrudescence des maladies transmissibles sexuellement (MTS) et la prolifération du désormais célèbre Syndrôme d'Immuno-Déficience Acquise (SIDA). Sexualité, MTS et SIDA sont des mots liés. Quand on pense à l'un, on pense aux deux autres. Je vous l'accorde, ce n'est guère érotisant et excitant, mais comme ces maladies existent bel et bien, on ne peut se mettre la tête dans le sable et nier leur réalité. D'un autre côté, il ne s'agit pas non plus de dramatiser. La syphilis, la gonorrhée et autres charmantes infections ne nous guettent pas à chaque coin de rue. Quant à la possibilité de les contracter sur un bol de toilette, cela tient plus du folklore que d'autre chose. Par contre, elles existent, font de plus en plus de ravages et demandent qu'on soit vigilant. La sexualité, ne l'oublions pas, est un jeu d'adulte. Elle demande donc qu'on agisse en adulte.

Bien sûr, si on est abstinent sexuellement ou si l'on vit une relation stable depuis plusieurs années et qu'on a une entente **respectée** d'exclusivité sexuelle, les MTS, ce n'est pas vraiment pour nous. Dans **tous** les autres cas, on est directement concernée. Et on n'a pas besoin d'avoir cinquante partenaires différents dans une année pour attraper une de ces maladies. Il suffit simplement que notre conjoint, si fidèle habituellement, ait sauté une fois la clôture pour qu'il y ait une possibilité de se retrouver avec une MTS. Par contre, il est évident que plus on accumule les partenaires différents, plus on accroît les risques.

"Je ne couche pas avec n'importe qui."

Plusieurs personnes pensent être protégées contre ces maladies parce que, disent-elles, "je choisis les personnes avec qui je fais l'amour; je ne vais pas avec n'importe qui". C'est bien de choisir. Le problème, dans ce cas précis, c'est de savoir comment on peut faire un tel choix. La présence ou l'absence d'une MTS ne se lit pas dans le fond des yeux, ni dans le degré de propreté corporelle de la personne. D'ailleurs, en passant, la propreté n'a strictement rien à voir là-dedans. Pas plus d'ailleurs que son niveau d'éducation, son statut social ou l'importance de son compte en banque. Certaines personnes, plus "prudentes", vont procéder à un examen visuel minutieux des organes génitaux avant de s'aventurer. Encore là, on peut être porteur de chlamydia, gonorrhée, syphilis, hépatite B, SIDA, sans avoir aucun symptôme d'aucune sorte.

Les MTS ne font aucune distinction de classe, de couleur de peau ou de sexe. Devant elles, nous sommes tous égaux! Cependant, certains comportements peuvent nous rendre un peu plus égaux... En d'autres termes, il n'y a pas de "personnes à risque" comme telles, mais des "comportements à risque". Ces comportements sont:

- le nombre de partenaires sexuels;
- lors de la pénétration, la non-utilisation de condoms si on a plusieurs partenaires (je vous le répète, il n'est pas nécessaire d'en avoir cinquante);
- le partage de seringues (les toxicomanes utilisent souvent des seringues qui ont déjà servi).

Une conversation le moindrement poussée peut nous permettre d'en savoir pas mal sur les habitudes d'une personne. Par exemple, un homme vous dit qu'il n'a rien, qu'il le sait puisqu'il s'est fait examiner il y a six mois, qu'il ne couche pas avec la première venue, qu'il ne se commet, en fait, qu'avec des femmes de carrière qui ont un certain niveau de culture. Côté "condom", il ne veut rien savoir parce que, vous dit-il, il ne prend pas sa douche avec un parapluie. Sans s'en rendre compte, ce monsieur vient de vous révéler qu'il est une personne à risque puisqu'il a des comportements à risque. Il dit savoir qu'il n'a rien, mais en fait, il l'ignore puisque, entre le moment de son dernier examen et aujourd'hui, il a pu se passer bien des choses. C'est un homme qui a aussi plusieurs partenaires sexuels. Quant au choix de celles-ci, il n'indique qu'une chose: il s'agit d'un monsieur un peu snob. Évidemment, sa résistance face à l'utilisation du condom le rend des plus suspects.

Le condom qui brise la spontanéité

Plusieurs considèrent le condom comme un empêcheur de tourner en rond. Il brise la spontanéité, diminue les sensations, n'est pas si sûr que ça après tout, ne sert à rien s'il se brise, etc. Tous les arguments sont bons pour le dénigrer.

C'est certain que le condom présente certains désavantages, mais il a pour lui un élément qu'on ne peut nier: la **sécurité.** Ce qu'il peut enlever en spontanéité, il le rend largement en sécurité. Vaut-il mieux arrêter une relation sexuelle pendant une ou deux minutes (le temps d'installer le condom) et s'endormir après comme un bébé naissant, certaine de n'avoir rien attrapé ou respecter en tout sa spontanéité (ne pas utiliser de condom) et souffrir d'insomnie une bonne partie de la nuit en se demandant si on n'a pas attrapé quelque chose? Poser la question, c'est presque y répondre. Puis, il ne faut pas oublier qu'il est possible de faire contre mauvaise fortune bon coeur et d'érotiser la pose de ce préservatif, d'en faire un jeu.

Pour s'assurer que le condom remplisse bien son rôle, ne se brise pas et ne glisse pas du pénis, voici les règles à suivre:

1. Utiliser des condoms en latex. Les condoms en fibres naturelles ont de petits trous microscopiques qui peuvent laisser passer le virus de l'hépatite B. Théoriquement, ces trous seraient trop petits pour laisser passer le virus du SIDA, mais entre la théorie et la pratique, il n'y a pas de risques à prendre.

2. Utiliser des condoms lubrifiés. Le manque de lubrification est une cause fréquente de bris. Si le condom que vous utilisez ne l'est pas, vous pouvez le lubrifier en l'enduisant de gelée lubrifiante stérile (K-Y par exemple). On trouve ce type de gelée facilement en pharmacie. Ne pas utiliser de la vaseline. Ce produit à base de pétrole diminuera de beaucoup la résistance du condom.

3. Vérifier la date d'expiration sur la boîte de condoms. Il s'agit aussi d'une cause fréquente des bris de condoms.

4. Lorsqu'on l'installe, s'assurer que le "petit bout" qui pend à l'extrémité du condom soit bien plat. S'il est gonflé d'air, il pourrait éclater lors de l'éjaculation.

5. Tout de suite après l'éjaculation, l'homme doit se retirer du vagin. Sinon le pénis reprenant sa grosseur normale, le condom pourrait glisser et se retrouver dans le fond du vagin.

6. Ne pas laisser vos condoms dans le coffre à gants de la voiture, ni dans aucun autre endroit trop chaud: du caoutchouc mou, ce n'est plus vraiment très résistant.

7. L'utilisation simultanée d'une mousse ou gelée spermicide ou encore d'un condom déjà enduit de spermicide est recom-

mandée. Il s'agit d'une protection supplémentaire en cas de bris du condom.*

Les condoms existent depuis plusieurs centaines d'années. Au fil des ans, ils ont eu leurs périodes de popularité. Celles-ci ont toujours correspondu à une montée de certaines MTS. Rappelez-vous qu'avant la découverte des antibiotiques on mourait de syphilis. Cela prenait vingt ans, mais ça finissait tout de même par arriver! Lorsque les scientifiques auront trouvé un ou des moyens d'arrêter la propagation actuelle des MTS, on oubliera le condom. C'est tout à fait naturel. Mais en attendant, il faut le voir comme un ami qui peut nous protéger et nous permettre de vivre une sexualité moins risquée.

Et le SIDA?

La maladie qui nous fait le plus peur, c'est évidemment le SIDA. Parce qu'elle est mortelle, parce qu'on n'a jusqu'à maintenant trouvé aucun traitement efficace de cette maladie, parce qu'on n'a aucun vaccin pour la prévenir, parce qu'enfin on en a tellement parlé dans les médias, elle stimule particulièrement nos craintes.

Il ne s'agit pas pour moi de nier le sérieux de la situation. Le SIDA existe et on doit tout faire pour enrayer sa propagation. Cependant, je crois qu'il y a peut-être eu certaines exagérations. Les risques d'attraper le SIDA, par rapport à d'autres MTS, sont relativement faibles. Par exemple, une femme court plus de risques d'attraper le chlamydia que le SIDA. Le chlamydia n'est pas mortelle, mais peut avoir de graves conséquences sur la santé de la femme, allant même jusqu'à causer l'infertilité. Le chlamydia est d'ailleurs en train de devenir la première cause d'infertilité chez les jeunes femmes et certaines études révèlent qu'une femme sur deux, née après 1970, sera touchée par le chlamydia. Les hommes aussi peuvent avoir cette maladie, mais comme dans la majorité des cas ils n'ont aucun symptôme, ils peuvent en être porteurs durant des années et semer à tout vent... comme le petit Larousse.

Le SIDA est un virus relativement fragile. Il ne peut vivre en dehors du corps humain et on connaît ses modes de

---

* Lors d'études en laboratoire on s'est aperçu que le NONOXYNOL-9 (spermicide vendu sous le nom de DELFEN ou D'EMKO) avait la propriété de tuer le virus du SIDA. Toutefois, ces expériences ayant été faites "in vitro", c'est-à-dire dans des éprouvettes, on ne peut assurer que le NONOXYNOL-9 ait la même efficacité dans le corps humain.

transmission. Ceux-ci sont:

- le contact du sperme avec le sang
- le contact sang à sang.

Les comportements dangereux sont donc essentiellement:

- la pénétration anale ou vaginale sans condom
- le partage d'aiguilles (toxicomanes).

Jusqu'à maintenant, on n'a trouvé aucun cas où le SIDA aurait été contracté à la suite de relations oro-génitales.

Des précautions à prendre

On pourrait écrire un volume entier sur les MTS. D'ailleurs, de tels volumes existent. Je pense entre autres, au livre *"L'ABC des MTS"* de Alan S. Meltzer, paru aux éditions Transmonde en 1988. Aussi, dans tous les CLSC, CSS, DSC et autres cliniques spécialisées, on peut trouver facilement des informations concernant chacune des MTS (il y en a près de 40), leur mode de transmission spécifique, les symptômes qui les accompagnent, leur traitement et les conséquences qu'elles peuvent avoir sur notre santé.

On suggère fortement aux personnes qui ont plus d'un partenaire sexuel de passer des tests de dépistage à tous les six mois. Et même si on n'a qu'un partenaire, il n'est pas inutile, lors de votre examen gynécologique annuel, de demander à votre médecin d'effectuer ce dépistage. Après tout, on ne peut vraiment jurer de rien ni de personne et même si on a confiance en l'autre, il ne faut pas oublier que ce dépistage a d'abord pour but de préserver sa santé à soi.

Donc en résumé, pour se protéger contre les MTS, on peut:

1. Être abstinent sexuellement.

2. N'avoir qu'un seul partenaire **et** une entente d'exclusivité sexuelle **respectée** depuis plusieurs années.

3. Utiliser des condoms lors de ses relations sexuelles. L'ajout de spermicide est une protection supplémentaire non négligeable. Les spermicides sont vendus sous forme de mousse ou de gelée et certains types de condoms sont déjà enduits de spermicide.

4. Passer des tests de dépistage régulièrement, même si on ne présente aucun symptôme.

5. Si vous avez des pertes ou des sensations vaginales suspectes, allez voir un médecin. Ne vous soignez pas vous-même. Souvenez-vous que les symptômes d'une MTS disparaissent souvent d'eux-mêmes après quelque temps mais que la maladie demeure.

Où s'adresser?

- Centre local de services communautaires (CLSC) de sa localité.

- Centre de services sociaux de sa région (CSS).

- Départements de santé communautaire des hôpitaux (DSC).

- Cliniques spécialisées dans le traitement des MTS, par exemple: Clinique médicale l'Actuel située au 1259, rue Berri, bureau 520, à Montréal (Tél.: 845-1333).

- Son médecin.

Chapitre XIV

Et l'éducation sexuelle des enfants?

Il y a vingt-cinq ans, l'éducation sexuelle des enfants, on n'y pensait même pas. On ne parlait pas de ces choses-là, un point c'est tout! Aujourd'hui, c'est bien différent. On recommande fortement aux parents de discuter de sexualité avec leurs enfants. La plupart d'entre nous, d'ailleurs, sont d'accord sur la nécessité de donner à leurs enfants une éducation sexuelle de qualité. Le problème, c'est de savoir comment on fait ça.

Nous tenons pour acquis que nous devrions être naturellement à l'aise pour répondre à notre Véronique de quatre ans qui nous demande à quoi sert le pénis de papa, ou pour expliquer à notre petit Sébastien les mystères de la vie. Si nous n'y arrivons pas, si nous sentons un malaise en donnant nos explications, nous nous culpabilisons. Pourtant, personne ne nous a appris ces choses. Nous n'avons eu aucun modèle pour nous montrer comment parler de sexualité avec nos enfants. Pourquoi le saurions-nous?

Il est tout à fait normal de ne pas se sentir expert en la matière. Et la pire chose que nous puissions essayer de faire, c'est d'avoir l'air faussement dégagé. Les enfants, nous le savons tous, apprennent beaucoup par l'exemple. Nous avons beau dire à nos enfants que la sexualité est la plus belle chose du monde, si ce que nous leur racontons n'est pas en accord avec ce que nous vivons, ils le sentiront. Et ils en déduiront intuitivement qu'il doit y avoir quelque chose de "pas très correct" dans la sexualité.

Même si nous avons une vie sexuelle satisfaisante, il se peut que nous soyons mal à l'aise pour discuter "sexualité" avec nos enfants, surtout s'il s'agit de parler de **leurs** comportements sexuels. Comme me disait une amie dont il s'agit d'un des sujets de conversation préférés: "Demande-moi de parler de ça avec n'importe qui, pas de problème! Mais avec ma fille de 15 ans, c'est une autre histoire. Je sais bien qu'elle grandit, mais quand elle me dit qu'elle pense à prendre la pilule, ça me fait tout drôle et je ne suis pas capable d'en parler avec elle." Remarquez, en passant, que mon amie est chanceuse d'avoir une fille si ouverte avec elle. Beaucoup d'adolescents et d'adolescentes refusent carrément d'aborder ce sujet avec leurs parents. Encore là, rien que de très normal. Pour nous toutes il est un peu difficile de voir nos enfants vieillir. Nous voyons bien qu'ils changent physiquement et psychologiquement, mais ils restent toujours un peu des "tout-p'tits" dans notre tête. De plus, le lien émotif qui nous unit rend souvent ardue la discussion. Enfin, l'adolescence est un âge où l'on veut se différencier de ses parents, affirmer son individualité. On n'ira donc pas les voir pour parler de sexualité. D'ailleurs, souvent ils sont convaincus que nous sommes très ignorants en la matière.

Est-ce que cela veut dire qu'il faille abandonner toute prétention à donner une éducation sexuelle de qualité à nos enfants? Je ne crois pas. Cependant, ce que cela laisse sous-entendre, c'est que cette éducation ne se fera peut-être pas entièrement par des discussions avec eux. Bien sûr, il s'agirait sans doute de l'idéal. Par définition, l'idéal on l'atteint rarement. C'est pourquoi je pense qu'il faut avoir des objectifs réalistes et ne pas se demander l'impossible. Ça ne signifie pas d'éviter de parler de sexualité avec nos enfants. Si c'est possible et que cela se fasse bien, c'est extraordinaire! Mais dans le cas contraire, rien ne sert de se culpabiliser et de se dire qu'on **devrait** être capable de faire cette éducation soi-même. Comme nous l'avons vu, nous n'avons pas eu de modèles. Par contre, nos enfants ont droit à une saine éducation sexuelle. Et c'est notre responsabilité de nous assurer qu'ils l'obtiennent.

Ils en savent plus que nous

Certains seront peut-être tentés de penser que les enfants et les adolescents d'aujourd'hui n'ont pas vraiment besoin qu'on leur parle de sexualité. Après tout, ils en savent tellement plus que nous en savions à leur âge! Bien sûr, ils ont accès à plus d'informations. Mais cela ne veut absolument pas dire qu'ils sachent tout et qu'ils se sentent sûrs d'eux là-dessus. Comme nous, à leur âge, ils vivent beaucoup d'insécurité à ce sujet. Et le fait justement qu'il y ait beaucoup d'informations ne les aide pas toujours à y voir clair. Comment démêler le vrai du faux? Qui croire: sa meilleure amie qui dit qu'une fille ne peut tomber enceinte la première fois ou l'infirmière qui affirme le contraire?*

Les jeunes d'aujourd'hui n'ont pas la partie plus facile que nous l'avons eue. Loin de là! Leurs problèmes sont différents,

---

* On pourrait penser que ce type de croyance n'existe plus. Les chiffres indiquent le contraire: au Canada, en 1983, il y a eu plus de 40 000 grossesses non désirées chez les adolescentes. Pourtant, nous, adultes, avons souvent l'impression que les jeunes n'ont plus rien à apprendre en matière de contraception!

mais tout aussi réels et parfois plus complexes que ceux auxquels nous avons eu à faire face dans notre jeunesse. Et si nous apprenions que la sexualité était dangereuse pour notre vie éternelle, eux apprennent qu'à cause du SIDA et des autres MTS, elle met en péril leur vie temporelle! Je me demande jusqu'à quel point ils sont plus choyés que nous l'avons été.

Mais tout de même, me direz-vous, il y a des cours d'éducation sexuelle à l'école où ils peuvent avoir accès à une information de qualité. L'éducation sexuelle à l'école est, selon moi, un beau et gros mythe. Rares sont les institutions scolaires qui dispensent vraiment ce genre de formation par des éducateurs sexologues qualifiés. Lorsqu'il y a de l'éducation sexuelle dans une école, celle-ci est le plus souvent limitée à quelques notions sur les menstruations, la grossesse et les maladies transmissibles sexuellement. Tout le reste, les jeunes doivent l'apprendre ailleurs: dans la rue, la cour d'école, les revues et vidéos pornographiques.

Au Canada, les plus grands consommateurs de vidéos pornographiques sont les jeunes de 12 à17 ans. Ce qu'ils voient à l'intérieur de ces films constitue pour beaucoup d'entre eux la base de leur savoir sexuel. Ils sont très influencés par le contenu de ces films. Ainsi, je reçois régulièrement des appels de jeunes hommes me demandant s'il n'y aurait pas des moyens pour faire grossir leur pénis. La raison de leur demande: ils trouvent le leur trop petit par rapport à ceux des acteurs (si on peut les appeler ainsi) de vidéos pornos!

Des outils qui peuvent nous aider

Il est évident qu'on ne peut laisser aux films pornographiques le soin de l'éducation sexuelle de nos enfants. Si on ne se sent pas à l'aise pour aborder ce sujet avec eux, je le répète, il est inutile de faire semblant de l'être. L'enfant le sentira. Cacher son malaise en chicanant l'enfant ou en lui disant d'arrêter de nous achaler avec ça, ce n'est pas non plus une solution. La meilleure attitude à adopter en est une de franchise et de simplicité.

Si notre jeune enfant nous pose une question et qu'on ne sait que répondre (soit qu'on ne connaisse pas la réponse, qu'on soit surpris par la question ou qu'on ne soit pas sûre des mots à employer), la meilleure chose à dire à son enfant, c'est: "Écoute, je ne peux pas te répondre tout de suite. Mais si tu me donnes un peu de temps, demain à la même heure, on va s'asseoir et on va en parler ensemble." Ce faisant, on se donne le temps de penser et d'apporter une réponse adéquate à l'interrogation de son rejeton. Il est aussi inutile de chercher des réponses très compliquées. Se mettre en frais d'expliquer les mystères de la vie à notre Isabelle de cinq ans qui nous demande si elle aura des seins plus tard est sans doute un peu exagéré et ne répond pas nécessairement à sa question.

Quant à notre adolescent face auquel on ne se sent pas à l'aise de parler de sexualité, rien ne nous empêche de le diriger vers de bonnes sources d'informations sexuelles, tout en lui avouant le plus simplement du monde ne pas se sentir très à l'aise de discuter de ces choses avec lui ou elle. Ces sources d'informations sont:

- le CLSC de notre localité. Plusieurs CLSC ont des intervenants spécialisés dans le domaine;

- l'infirmière de l'école;

- le médecin de famille; par contre, dans ce cas, il est essentiel que le jeune soit rassuré quant à la confidentialité de sa rencontre;

- un ou une amie de la famille qui a certaines connaissances et qui a la confiance des parents et de l'adolescent.

Certains livres peuvent aussi nous aider à faire l'éducation sexuelle de nos enfants et adolescents. En voici une liste non exhaustive.

ROBERT, Jocelyne. **Ma sexualité, 0-6 ans**, Montréal, Éditions de l'Homme, collaboration de Johanne Jacob, 1986. Très bien fait. À la portée des enfants. Amusant et poétique à la fois. Mode d'emploi pour les parents.

ROBERT, Jocelyne. **Ma sexualité, 6 à 9 ans**, Montréal, Éditions de l'Homme, 1986. Mêmes remarques que pour le livre précédent.

ROBERT, Jocelyne. **Ma sexualité, 9 à 12 ans**, Montréal, Éditions de l'Homme, 1986. Mêmes remarques que pour le livre précédent.

PLANNED PARENTHOOD OF AMERICA. **Comment discuter de sexualité avec votre enfant**, Éditions La Presse, 1988. S'adresse aux parents. Très complet.

MCKINNON, Doan H., MOORE, J.M., **La menstruation**, Éditions La Presse, 1987. Complet. Strictement informatif.

ROBERT, Jocelyne. **Pour jeunes seulement**, Montréal, Éditions de l'Homme, 1988. Photoroman d'éducation à la sexualité. Très bien fait. Adapté aux adolescents.

LAMARCHE, Marcel, DANHEUX, Pol. **Nous, on en parle**, Montréal, Éditions de l'Homme, 1987. Livre de prévention contre les agressions. Inculque à l'enfant une saine méfiance. Mode d'emploi pour les parents. Très bien fait.

HÉBERT, Marie-France. **Venir au monde**, Montréal, La Courte Échelle, 1987. Livre et jeu pour expliquer aux enfants les phénomènes reliés à la naissance. Bien fait. Amusant.

LE MOT DE LA FIN

Comme je l'ai dit au début, pour moi la sexualité est une chose concrète et joyeuse à laquelle nous avons droit et qui mérite d'être bien vécue. J'espère avoir atteint mon but et avoir transmis ce message.

Aussi, tout au long de cet ouvrage, j'ai essayé d'offrir des suggestions pour mieux vivre sa sexualité. Je pense qu'elles peuvent être utiles, et comme dirait ma mère (une petite femme vive et intelligente de 72 ans), si elles ne vous font pas de bien, elles ne vous feront pas de tort! Je crois que le meilleur thérapeute c'est encore soi-même. Cependant, il se peut que ce ne soit pas suffisant et que certaines d'entre vous aient besoin de l'aide d'un sexologue.*

Se décider à consulter n'est jamais facile. On préfère espérer que le temps arrangera les choses ou on est simplement convaincu qu'il n'y a rien à faire parce qu'on a l'impression d'avoir tout essayé. Personnellement, je n'ai jamais vu entrer personne dans mon bureau de gaieté de coeur. Et c'est tout à fait normal. On n'aime pas parler de ces choses-là. Avouer à un étranger que sa sexualité n'est peut-être pas une réussite c'est très difficile et cela demande du courage. Mais l'effort fait au départ vaut la peine qu'on se donne. Selon le type de problème et la méthode utilisée, les traitements sexologiques (qui durent en général de trois à six mois) sont efficaces dans 60% à 80% des cas.

D'un autre côté, c'est important de se respecter et de ne pas s'obliger à consulter un sexologue alors qu'on ne se sent pas prête à le faire. Nous avons droit à une sexualité heureuse, mais il ne s'agit pas de se faire violence. De toute façon, ça ne fonctionnerait pas.

Femme et épanouie sexuellement? Pourquoi pas? Notre exemple sera sans doute un des plus beaux cadeaux que nous pourrons donner à nos filles.

---

* La sexologie est une nouvelle discipline. Aussi faut-il se montrer très prudente dans le choix de son professionnel. Présentement, au Québec, le titre de sexologue n'est pas protégé. N'importe qui peut donc se prétendre sexologue. Aussi vaut-il mieux, avant de prendre rendez-vous, s'informer auprès de l'Association des sexologues du Québec. Celle-ci, vouée à la défense des intérêts du public, n'est formée que de personnes qui ont une formation universitaire en sexologie. On pourra donc vous informer si celui ou celle que vous désirez consulter est membre de l'A.S.Q. ou encore vous suggérer quelques noms. Téléphone A.S.Q.: (514) 270-9289.

ANNEXE I

Relaxation

A. Relaxation active

Il existe des dizaines de méthodes de relaxation. Pour n'en nommer que quelques-unes: le yoga, la méditation transcendantale, le training autogène de Schultz, la relaxation active de Jacobson, la détente subliminale. En soi, on ne peut dire qu'une méthode soit meilleure qu'une autre.

Personnellement, je suggère à mes clients d'essayer la relaxation active, type Jacobson. D'apprentissage rapide, cette relaxation correspond assez bien à notre mentalité de Nord-Américains. C'est-à-dire qu'en tant que tels, nous ressentons le besoin de bouger, de faire quelque chose. La relaxation active, au contraire de plusieurs autres, demande notre participation. Il s'agit, en fait, de contracter et de détendre certains groupes musculaires tout en prenant conscience de l'état de détente qui s'installe en nous. Cette relaxation a été mise au point dans les années cinquante par un médecin de l'armée américaine: le docteur Jacobson. S'étant avérée très efficace auprès des "marines", on a récupéré cette méthode dans le civil. Si cela pouvait aider des militaires qui vivaient des situations terriblement anxiogènes, cela pouvait sûrement aider aussi des gens vivant d'autres types de stress.

On peut trouver aisément sur le marché des disques et cassettes de relaxation active. C'est la façon la plus facile de faire cet apprentissage. Au début, il peut arriver qu'on se sente plus nerveux après qu'avant. Cela est simplement une indication de notre niveau élevé de tension et la preuve qu'on a vraiment besoin de relaxation. Après quelques semaines, on devrait commencer à sentir les effets bénéfiques de la pratique de la relaxation, entre autres: meilleur sommeil, diminution de l'anxiété, sensation générale de mieux-être, diminution des excès dans les comportements (nourriture, colère, dépression, etc.). La pratique continue de la relaxation favorise un meilleur contrôle de sa tension. La personne qui vit une difficulté sexuelle a souvent un niveau de tension très élevé. La relaxation est un moyen très efficace de le faire baisser.

Il n'est pas important de faire sa relaxation parfaitement, mais il est essentiel de la faire régulièrement tous les jours (l'idéal est deux fois par jour). On peut la faire à n'importe quel moment, sauf après les repas. La digestion demandant un effort au métabolisme et la relaxation abaissant la vitesse de celui-ci, cela peut créer certains problèmes de digestion paresseuse. Il est donc conseillé d'attendre au moins deux heures après le repas.

Si après quelques semaines de pratique de la relaxation active on trouve qu'elle ne correspond pas à notre tempérament, on peut essayer une autre méthode. Ce qui importe, ce n'est pas le nom de la relaxation, mais l'effet de bien-être qu'elle peut nous procurer.

Suggestions de disques de relaxation active

- SABOURIN: **La relaxation**, RCA Victor.

- COUTURE, Normande, BOUDREAU, Carmen: **La relaxation**. (disponible dans certaines librairies)

B. Relaxation brève (60 secondes)

Cette relaxation peut servir de pause et nous empêcher de paniquer, par exemple, juste avant une relation sexuelle.

N.B.: avant de faire cette relaxation, si on veut qu'elle soit efficace, il est fortement suggéré d'avoir cinq à six semaines de relaxation active à son actif.

1. Prendre une profonde respiration.

2. Détendre la main droite, le bras droit, l'épaule droite, le cou, l'épaule gauche, le bras gauche, la main gauche.

3. Détendre le front, les paupières, les yeux, les joues, les narines, les lèvres, les mâchoires, la langue, les cordes vocales.

4. Détendre les muscles au niveau de la poitrine et de l'estomac.

5. Détendre la cuisse droite, le mollet droit, les orteils et le pied droit, les orteils et le pied gauche, le mollet gauche, la cuisse gauche.

6. Penser calme. Ouvrir les yeux.

On recommande de faire cet exercice six fois par jour. Pour faciliter l'apprentissage de cette relaxation brève, on peut enregistrer les consignes précédentes.

C. Relaxation brève (15 secondes)

Cette relaxation a pour but d'éviter les états de panique. On peut s'en servir dans des situations non sexuelles, comme juste avant d'affronter son patron pour lui demander une augmentation, mais aussi lors de relations sexuelles. Par exemple, si on est anorgasmique, au moment où on s'aperçoit qu'on n'est plus centrée sur le plaisir ressenti mais sur l'orgasme à atteindre. Ou encore, si on est dyspareunique, à l'instant où on vit une pénétration jusque-là sans douleur, on commence à paniquer et à avoir peur d'avoir mal.

Cette relaxation brève demande aussi, comme prérequis, la pratique de la relaxation active depuis cinq à six semaines.

1. Prendre une inspiration profonde (en faisant gonfler le ventre).

2. Expirer lentement en détendant tous les muscles du corps.

ANNEXE II

Exercices de communication sensuelle

Les exercices de communication sensuelle ont été conçus par Masters et Johnson dans les années soixante-dix. Le but visé par ces exercices est d'amener le couple à se concentrer sur les sensations plutôt que sur la performance et à mieux communiquer sensuellement et sexuellement.

Exercice de communication sensuelle I

Il s'agit d'un exercice de toucher, où les deux partenaires auront l'un après l'autre à assumer les rôles de donneur et de receveur.

Dans cet exercice, il n'y a pas de touchers aux organes génitaux de l'homme et de la femme ni aux seins de la femme.

Dans un premier temps, le receveur s'allonge sur le ventre. Son attitude doit en être une de réceptivité et de disponibilité. Il n'aura rien à faire, sinon qu'accepter ce qu'on lui donnera comme un cadeau. Il est donc totalement passif et silencieux. Il ne parlera que si ce qu'il ressent est désagréable, par exemple si ça le chatouille. Sinon, il se tait et se concentre sur ses sensations. Ses mains doivent rester sur le lit et il lui est interdit d'essayer de caresser le donneur.

Le donneur, quant à lui, se sert de son imagination. Il peut caresser, bien sûr, avec ses mains, mais aussi avec ses cheveux, ses lèvres, sa langue, ses dents, etc. Il se concentre sur les textures de peau (caresser une fesse, ce n'est pas exactement comme caresser un lobe d'oreille) et sur ce qu'il ressent émotivement en donnant les caresses. Pour savoir si ce qu'il fait est bien reçu par l'autre, il se fit à l'attitude du receveur. S'il ressemble à un gros "nounours", c'est bon signe. Mais s'il semble aussi figé que s'il attendait l'autobus à -20° C, c'est sans doute le signe qu'il faut changer sa technique.

Après dix minutes, le donneur tourne le receveur sur le dos (un peu comme un barbecue). C'est le seul moment de l'exercice où le receveur peut être moins passif et s'aider un peu pour se retourner.

Après vingt minutes, on interchange les rôles. Le donneur devient receveur et le receveur devient donneur.

Le premier receveur est tenu de devenir donneur immédiatement après avoir reçu. Il n'est pas question qu'il remette la suite de l'exercice au lendemain sous prétexte qu'il est trop détendu et qu'il n'a qu'une seule envie: dormir. Quand on reçoit, on donne tout de suite après.

Après l'exercice, on se donne quelques minutes pour parler de ce qu'on a ressenti, de l'appréciation qu'on fait de l'exercice, des choses que l'on a découvertes.

Je recommande fortement de faire cet exercice avec une horloge. C'est. peut-être un peu simpliste, mais cela évite les disputes de ménage, genre: "Il me semble que mon vingt minutes à été pas mal plus long que ton vingt minutes."

On peut, si cela nous tente, utiliser une huile de massage ou plus simplement une huile d'amande douce. On trouve cette dernière pour quelques dollars, en pharmacie, dans la section des soins dermatologiques. Quant aux huiles de massage, bien lire le contenu avant de faire son choix. Éviter les huiles minérales et les produits qui peuvent irriter la peau. L'emploi d'une huile modifie les sensations et facilite le glissement de la main sur la peau.

Si on fait cet exercice de manière mécanique, ce sera sans doute très ennuyeux. Aussi, est-il important de créer une ambiance agréable avant de se mettre à la "tâche". Des exemples de ce qu'on peut faire alors: prendre un bain à deux, s'offrir un verre de vin mousseux, avoir un éclairage approprié, une température confortable, on peut aussi faire jouer une musique relaxante, etc.

Cet exercice n'est pas préliminaire à une relation sexuelle. Il s'agit, il ne faut pas l'oublier, d'une expérience de communication sensuelle sans autre but que d'échanger des sensations plaisantes. Il est donc interdit de faire l'amour après l'avoir terminé.

Je suggère au couple de faire cet exercice trois fois avant de passer à l'étape suivante. On doit passer au moins une semaine par étape.

Exercice de communication sensuelle II

Cet exercice a pour objectif d'apprendre à l'autre ce qu'on aime et désire comme caresses. En ce domaine, au contraire des autres domaines de la vie où on s'informe de ses goûts et préférences, sur le plan de la sexualité on joue souvent à la devinette. On ne se donne aucun renseignement: "Si l'autre m'aime, il va savoir instinctivement ce que je veux." Entre vous et moi, ce n'est pas du tout évident que l'autre va deviner qu'on aime être effleurée sur la plante des pieds. De plus, notre tendance naturelle est de donner à l'autre ce qu'on aimerait recevoir. On aime être effleurée, on l'effleure, dans l'espoir qu'il trouve ça agréable et nous fasse la même chose. Le problème, c'est que l'autre est peut-être extrêmement chatouilleux. Aussi, n'aura-t-il jamais l'idée de nous effleurer et nous donnera, dans le même état d'esprit que nous, le massage profond qui l'envoie au septième ciel, mais qui nous endort profondément. Cet exercice vise donc à se donner ces informations d'une façon plus directe et plus efficace.

Cet exercice ressemble beaucoup au précédent. Il y a un donneur et un receveur, pas de touchers aux organes génitaux de l'homme et de la femme, ni de touchers aux seins de la femme. Il a la même durée et il est interdit de faire l'amour après l'avoir terminé. Ce qui différencie la "communication sensuelle II" de la "communication sensuelle I", c'est le rôle imparti au receveur et au donneur.

Alors que dans "communication sensuelle I", le receveur est totalement passif, dans cet exercice, il devient en quelque sorte le personnage important. Il aura un rôle de professeur auprès du donneur. Il devra, bien sûr, lui dire ce qu'il veut: "Plus fort, moins fort, touche-moi plus vite, moins vite, à tel endroit j'aime particulièrement cela, tel autre endroit me laisse indifférent, etc." Mais il aura aussi à lui montrer tactilement, c'est-à-dire que le receveur, à certains moments, pourra prendre la main du donneur et indiquer en appuyant sa main sur la main du donneur le type de pression exacte qu'il désire.

Au bout de vingt minutes, on interchange les rôles. Après l'exercice, on prend quelques minutes pour échanger verbalement sur ce dernier.

On n'oublie pas: une ambiance agréable et pas de relations sexuelles après!

Je suggère aux couples de faire cet exercice trois fois avant de passer à la prochaine étape.

Exercice de communication sensuelle III

L'objectif de cet exercice est le même que dans le précédent: se montrer l'un à l'autre ce qu'on aime comme type de touchers. Mais cette fois-ci, notre enseignement, si je puis m'exprimer ainsi, se fera au niveau des organes génitaux de l'homme et de la femme et des seins de la femme.

Les positions suggérées sont les suivantes:

1. Homme donneur, femme receveur: l'homme est assis, le dos appuyé à la tête du lit. Ses jambes sont écartées et étendues à plat sur le lit. La femme s'asseoit entre les jambes de l'homme, le dos appuyé contre le ventre de son partenaire.

2. Femme donneur, homme receveur: l'homme est couché sur le dos, les jambes moyennement écartées. La femme s'asseoit face à l'homme, entre ses jambes, et glisse ses jambes sous celles de son partenaire.

On suit les mêmes consignes que dans "communication sensuelle I et II". On commence d'abord par toucher le corps en entier et on se dirige tranquillement vers les organes génitaux.

On n'oublie pas, encore une fois: une ambiance agréable et pas de relations sexuelles après!

Je suggère aux couples de faire cet exercice trois fois avant de passer à la prochaine étape.

Exercice de communication sensuelle IV

Cet exercice est un peu particulier. Bien que cela ressemble beaucoup à une relation sexuelle, ce n'en est pas vraiment une. Il s'agit, en fait, de vivre une pénétration en se concentrant sur ce qu'on ressent. Avoir ou non un orgasme n'est pas important.

Après les préliminaires, lorsque l'homme et la femme se sentent prêts, cette dernière placée en position supérieure se pénètre elle-même du pénis de son partenaire. L'homme est passif dans cet exercice. La femme reste immobile et ne bouge que si elle sent que l'homme perd son érection. Les deux partenaires se concentrent sur leurs sensations: "Qu'est-ce que ça me fait d'avoir son pénis dans mon vagin, est-ce lâche, serré, etc.?" "Comment je me sens dans son vagin, est-ce confortable, chaud, plus ou moins excitant, etc.?"

Après quinze à vingt minutes, on se retire et on prend quelques minutes pour parler de ce qu'on vient de vivre.

ANNEXE III

Exercices pour le pubo-coccygien

Le découvrir

Avant d'entreprendre un programme d'entraînement de son pubo-coccygien, il est essentiel de bien savoir où il se situe.

Donc, durant deux ou trois jours, faire ce qui suit lors de la miction*, sauf celle du matin, en se levant. À chaque miction, commencer à uriner, arrêter, continuer, arrêter, recommencer, arrêter jusqu'à l'écoulement total de l'urine. Le muscle qui permet d'uriner et d'arrêter, c'est le pubo-coccygien. Lorsqu'on urine, on le détend; lorsqu'on arrête, on le contracte. Après deux ou trois jours de ce manège, on devrait bien sentir le muscle qui travaille. Pour certaines femmes, cela prendra quelques jours de plus. Ce n'est pas inquiétant.

Arrêter cet exercice lorsqu'on a bien isolé son muscle pubo-coccygien.

A. Exercice sans résistance

Il s'agit de contracter et de détendre son muscle à vide, dix fois par jour dix fois chaque fois. Cela peut sembler beaucoup, mais, en fait, cet exercice se fait pratiquement n'importe où et de manière très discrète. Pour s'aider à ne pas oublier ses exercices, on peut, par exemple, faire une séquence de dix contractions-détente à chaque fois qu'on entre dans la cuisine ou si on conduit régulièrement, à chaque feu rouge qu'on attrape ou encore, à chaque coup de téléphone que l'on reçoit.

Après deux semaines, on ajoute à chacune des dix séquences, la finale suivante. On tient sa dernière contraction durant dix secondes. Cet ajout a pour but d'accroître non seulement la force, mais aussi la résistance de notre P.C.

B. Exercice des 6 secondes

Après quelques semaines de pratique de l'exercice sans résistance (le deuxième), on peut faire l'exercice des six secondes

---

*Miction: action d'uriner

qui, lui, est un exercice avec résistance. C'est-à-dire qu'on aura à contracter et à détendre le muscle sur un objet qui fera office de résistance (un peu comme on se sert des haltères pour renforcir ses biceps). Cet objet pourra être un vibrateur, une bougie recouverte d'un condom ou même son doigt.

Après une relaxation, on s'installe confortablement dans son lit. En position assise, le dos bien appuyé, en s'aidant d'un miroir et d'une lumière, on insère l'objet dans son vagin (on peut se servir de gelée lubrifiante stérile qu'on trouve facilement en pharmacie pour faciliter cette insertion). On prend une profonde respiration et on fait ce qui suit en disant:

1. Contracte (seulement le P.C.)
2. Tiens bon
3. Tiens bon
4. Tiens bon
5. Plus fort (en s'aidant des muscles des cuisses, des fesses et du ventre)
6. Détends.

On compte 1 000, 2 000, 3 000, 4 000, 5 000, 6 000 (il est important de détendre aussi longtemps que l'on contracte. Compter par milliers prend plus de temps que par unité et nous assure de bien détendre notre P.C.) On reprend une profonde respiration et on recommence.

On doit faire cet exercice durant quinze minutes, trois fois par semaine. Je vous avertis: il s'agit d'un exercice assez fatigant, mais très efficace.

Après quelques semaines de la pratique de ces exercices on devrait commencer à sentir une différence appréciable. Si la force de notre P.C. nous satisfait, on interrompt les exercices. On peut les recommencer au besoin.

ANNEXE IV

Désensibilisation

La technique de désensibilisation, comme son nom l'indique, a pour objectif de désensibiliser une personne face à une pensée traumatisante. Par exemple, une femme qui a vécu une agression sexuelle en gardera toujours le souvenir. On n'oublie pas ce genre d'événement.* La désensibilisation ne vise pas à faire oublier, mais à diminuer fortement l'impact émotif relié à ce souvenir.

Dans un premier temps, on doit dresser une liste de quatre ou cinq souvenirs ou pensées désagréables reliés directement ou indirectement à l'événement dont on veut se désensibiliser. Par exemple, dans le cas d'une femme qui a vécu une agression sexuelle, cette liste pourrait rassembler les éléments suivants:

Je me sens mal lorsque:

- un inconnu me regarde sur la rue
- je me rappelle mon agression
- j'imagine la figure de mon agresseur
- mon conjoint me prend par la taille et me donne un baiser dans le cou par surprise.

Puis, on classe ses éléments en ordre du moins traumatisant au plus traumatisant. Dans notre exemple, cela pourrait être:

Le moins traumatisant:
1. Mon conjoint me prend par la taille et me donne un baiser dans le cou par surprise.

2. Un inconnu me regarde sur la rue.

3. J'imagine la figure de mon agresseur.

Le plus traumatisant:
4. Je me rappelle mon agression.

On commence la désensibilisation par l'élément le moins traumatisant. La technique de désensibilisation est fort simple. Il s'agit avant chaque relaxation (Annexe IA) de prendre une à deux minutes pour imaginer la première scène de sa liste (dans ce cas: "mon conjoint me prend par la taille et me donne un baiser dans le cou par surprise"), avec tout ce que cela comporte

---

* Cependant, dans certains cas, c'est le contraire qui se produit. Le choc est trop grand et la personne oublie complètement ce qui s'est passé.

d'émotions désagréables et/ou stressantes. Puis, immédiatement après, **sans attendre**, on fait sa relaxation.

Après une semaine, on fait une évaluation de ses sentiments par rapport à cette première scène. Si on s'aperçoit qu'il y a encore beaucoup d'émotions reliées à cette scène, on continue de l'imaginer avant sa relaxation durant une autre semaine et on refait l'évaluation. Si, par contre, elle nous laisse indifférente ou presque, on passe à la deuxième scène de sa liste (dans ce cas: "un inconnu me regarde sur la rue") et on suit la même procédure que pour la première scène. Ainsi de suite, jusqu'à ce qu'on ait passé à travers toute la liste.

N.B.: On peut rester accrochée trois ou quatre semaines sur une scène et une seule sur une autre. L'important n'est pas de se désensibiliser rapidement mais de façon satisfaisante pour soi.

BIBLIOGRAPHIE

BARBACH, L.G. (1976). **For yourself the fulfillment of female sexuality**, New York, Anchor Books.

BELTRAMI E., COUTURE N. (1980). Les dysfonctions sexuelles, **in Psychiatrie clinique: approche contemporaine**, P. Lalonde, F. Grunberg, Chicoutimi, Gaétan Morin éditeur.

CRÉPAULT, C. (1985). **L'imaginaire érotique et ses secrets**, Montréal, Presses de l'Université du Québec.

FREUD, S. (1923). L'organisation génitale infantile. **La vie sexuelle**, Paris, Presses universitaires de France, 1969, pp. 113-116.

FREUD, S. (1923). **Trois essais sur la sexualité**, Paris, Gallimard, 1962.

FREUD, S. (1925). Quelques conséquences psychiques de la différence anatomique entre les sexes. **La vie sexuelle**, Paris, Presses universitaires de France, 1969, pp. 123-132.

FREUD, S. (1931). Sur la sexualité féminine. **La vie sexuelle**, Paris, Presses universitaires de France, 1969, pp. 139-155.

FRIDAY, N. (1976). **Mon jardin secret**, Paris, Balland éditeur.

GAGNON, L. (1987). **Notre corps et sa sexualité**, Montréal, Fédération des médecins omnipraticiens du Québec.

HEIMAN, J., LO PICCOLO, L., LO PICCOLO, J. (1976). **Becoming orgasmic, a sexual growth program for women**, New Jersey, Prentice-Hall.

HITE, S. (1979). **Le Rapport Hite**, Paris, Robert Laffont éditeur.

KAPLAN, H.S. (1974). **The new sex therapy**, New York, Brunner-Mazel.

KAPLAN, H.S. (1983). **The evaluation of sexual disorders**, New York, Brunner-Mazel.

KERR, C. (1979). **Le sexe au féminin**, Montréal, Éditions de l'Homme.

KINSEY, A.C., POMEROY, W.B., MARTIN, C.E. (1948). **Sexual behavior in the human male**, Philadelphia, Saunders.

KINSEY, A.C. et INSTITUTE FOR SEX RESEARCH (1953). **Sexual behavior in the human female**, Philadelphia, Saunders.

KRAFFT-EBING, R. (1969), Psychopathia Sexualis, Paris, Payot.

LADAS, K.L., WHIPPLE, B., PERRY, J.D. (1982). **Le point G**, Paris, Robert Laffont.

LO PICCOLO, J., LO PICCOLO, L. (1978). **Handbook of sex therapy**, New York, Plenum Press.

MASTERS, W.H., JOHNSON, V. (1968). **Les réactions sexuelles**, Paris, Robert Laffont.

MASTERS, W.H., JOHNSON, V. (1971). **Les mésententes sexuelles et leur traitement**, Montréal, Éditions du Jour.

MELTZER, A.S. (1987). **L'ABC des MTS**, Montréal, Transmonde.

O'CONNOR, D. (1987). **Comment faire l'amour à la même personne pour le reste de votre vie!** Montréal, Le Jour, éditeur.

SHAEVITZ, M.H. (1986). **Le complexe de la superfemme**, Montréal, Québec-Amérique.

STENGERS, J., VAN NECK A. (1984). **Histoire d'une grande peur: la masturbation**, Bruxelles, Éditions de l'Université de Bruxelles.

STUBBS, K.R., SAULNIER, L.A. (1986). **Le guide des amants sensuels**, Laval, Guy St-Jean éditeur.

Affectivité, sexualité et relations interpersonnelles, module 3, sous la direction de Michel Rainville (1980), Montréal, Université du Québec.

TABLE DES MATIÈRES

Achevé d'imprimer
en décembre 1996
sur les presses de
Imprimerie H.L.N.

Imprimé au Canada – Printed in Canada